DU MÊME AUTEUR

Aux Éditions Gallimard

LE SERMENT DES BARBARES, roman, 1999. Prix du premier roman 1999. Prix Tropiques, Agence française de développement, 1999 («Folio» n° 3507).

L'ENFANT FOU DE L'ARBRE CREUX, roman, 2000. Prix Michel-Dard 2001 («Folio» n° 3641).

DIS-MOI LE PARADIS, roman, 2003.

HARRAGA, roman, 2005 («Folio» n° 4498).

POSTE RESTANTE : ALGER, Lettre de colère et d'espoir à mes compatriotes, 2006 («Folio» n° 4702).

PETIT ÉLOGE DE LA MÉMOIRE, quatre mille et une années de nostalgies, 2007 («Folio 2 €» n° 4486).

LE VILLAGE DE L'ALLEMAND ou Le journal des frères Schiller, roman, 2008. Grand Prix RTL-Lire 2008, Grand Prix SGDL du roman 2008 («Folio» n° 4950).

RUE DARWIN, roman, 2011 («Folio» n° 5555), prix du Roman arabe 2012.

GOUVERNER AU NOM D'ALLAH

BOUALEM SANSAL

GOUVERNER AU NOM D'ALLAH

Islamisation et soif de pouvoir dans le monde arabe

nrf

GALLIMARD

La critique de la religion est la première condition de toute critique.

Karl MARX

Le pire ennemi de la vérité n'est pas le mensonge mais la conviction.

Friedrich NIETZSCHE

I

Un témoignage en guise d'introduction :
L'Algérie, du colonialisme à l'islamisme

Cet opuscule qui traite de la montée de l'islamisme dans le monde arabe n'a d'autre prétention que celle que peut avoir un écrivain qui, s'emparant d'un sujet, essaie de le regarder d'une *certaine manière*, appelons-la littéraire, autrement dit avec sa subjectivité, et l'espoir cependant que cette subjectivité atteigne quelque part une *certaine vérité*. Pour autant, ce n'est pas le « flou artistique » qui est recherché, il n'a pas sa place dans pareil sujet, c'est un éclairage sous un angle spécifique qui mette en évidence des points que pour ma part je considère comme essentiels.

Mon texte n'est pas un traité académique, je ne suis ni historien ni philosophe, il n'est pas davantage une investigation journalistique, encore moins un rapport d'expert en islamisme, et pas du tout un essai d'islamologie. Il est la réflexion d'un témoin, d'un homme dont le pays, l'Algérie en l'occurrence, a très tôt été confronté à l'islamisme, un phénomène inconnu de lui jusque-là.

Nous l'avons vu arriver, dans les années 1960, au lendemain de l'indépendance (1962), nous sortions de cent trente-deux années de colonisation française et d'une guerre de libération de huit terribles années (1954-1962) qui avait causé la mort de plusieurs centaines de milliers de personnes.

Ce vent religieux nous a été amené par des prédicateurs discrets venus du Moyen-Orient, la plupart membres des Frères musulmans, alors persécutés dans leurs pays, l'Égypte, où Sayyid Qutb, l'idéologue de l'islamisme radical et militant des Frères musulmans, avait été condamné à mort et exécuté par pendaison sur ordre du président Nasser, en Syrie où le président Hafez el-Assad leur menait la vie dure et ira, plus tard, en 1982, jusqu'à raser la ville de Hama, fief des Frères musulmans, en Irak où le parti laïc Baath exerçait un contrôle absolu sur la société, en Jordanie où le roi Hussein réprimait à tout-va islamistes et Palestiniens, et au Yémen du Sud dirigé par un parti marxiste-léniniste qui exécrait les religieux, comme nous l'apprîmes d'eux, et d'autres encore plus discrets, des prédicateurs wahhabites diligentés par l'Arabie Saoudite, gardienne des Lieux saints, qui voulait inculquer un peu d'islam à notre pauvre pays si longtemps colonisé par les Français, des chrétiens laïcs et rationalistes.

Nous les avons accueillis avec sympathie, un brin amusés par leur accoutrement folklorique, leur bigoterie empressée, leurs manières doucereuses et leurs discours pleins de magie et de tonnerre, ils faisaient spectacle dans l'Algérie de cette époque, socialiste, révolutionnaire, tiers-mondiste, matérialiste jusqu'au bout des ongles, que partout dans le monde progressiste on appelait avec admiration « la Mecque des révolutionnaires », qui recevait quotidiennement et avec quelle ferveur les héros de ce temps, les Cubains Che Guevara et Fidel Castro, affectueusement surnommés *« los barbudos »*, le légendaire général Giap, le vainqueur de la déjà mythique bataille de Diên Biên Phu, Gamal Abdel Nasser, le champion du panarabisme triomphant, Medhi Ben Barka, le Marocain panafricaniste activement engagé dans la révolution tricontinentale, Mandela, qui un jour abattrait l'apartheid et serait le premier président noir de l'Afrique du Sud, les Black Panthers, dont le célèbre Eldridge Cleaver, et les Black Muslims, dont le très fameux Malcolm X connu chez les musulmans sous le nom de El-Hajj Malek el-Shabazz, alors membre de la turbulente NOI (Nation of Islam), qui promettait de détruire l'Amérique impérialiste et blanche, et des personnages sulfureux et excitants comme Ilitch Ramírez Sánchez, dit « Carlos », dit encore « le Chacal », « the Jackal », le terroriste international insaisissable, ami inconditionnel de nos frères les Palestiniens de l'OLP (Organisation de libération de la Palestine) que l'Algérie soutenait avec une passion intensément anti-impérialiste, anticolonialiste et antisioniste, comme elle accueillait en fraternité militante les combattants de l'IRA (Irish Republican Army), du FLNC (Front de libération nationale de la Corse), de l'ETA (Euskadi Ta Askatasuna), ainsi que les opposants de Franco, de Salazar et ceux des colonels grecs (c'est à Alger, avec la logistique de l'armée nationale populaire, qu'a été tourné le célèbre film *Z* de Costa-Gavras qui dénonçait la dictature militaire en Grèce, scénarisé par Jorge Semprun, héros de la guerre d'Espagne, résistant durant la Seconde Guerre mondiale et déporté dans les camps de la mort nazis, puis ministre de la Culture du premier gouvernement post-Franco de Felipe González, et joué par Yves Montand, à cette époque membre du PCF [parti communiste français], et le beau Jean-Louis Trintignant), et il y avait tous ceux qui avaient courageusement soutenu les révolutionnaires algériens pendant la guerre d'Algérie, et parmi eux ceux qu'on appelait les « porteurs de valise », qui acheminaient en Suisse l'argent collecté en France par le FLN auprès des travailleurs émigrés, et il y avait ceux que nous appelions les pieds-rouges, parce qu'ils venaient en quelque sorte remplacer les pieds-noirs et parce qu'ils étaient des socialistes, intéressés par l'expérience du socialisme autogestionnaire menée par le premier gouvernement de l'Algérie indépendante, dirigé par l'intrépide Ben Bella, sur le modèle de développement choisi par Tito pour la Yougoslavie. Tous ces gens venaient à Alger chercher refuge, solliciter des subsides, s'initier auprès du FLN à l'art de la lutte révolutionnaire, ou simplement respirer l'air romantique d'Alger la Blanche et faire la fête entre militants de la cause des peuples opprimés, les guerriers doivent aussi se reposer.

Occupés par nos bonnes actions progressistes et nos commémorations historiques — nous avions également nos propres héros et martyrs à honorer —, nous ne prêtâmes qu'une lointaine et condescendante attention à cette vague de bigoterie venue de ce Moyen-Orient ténébreux que nous ne connaissions que par le cinéma égyptien et les merveilleuses chansons de Fairuz et d'Oum Kalthoum.

Quelques années plus tard, nous découvrîmes presque à l'improviste que cet islamisme qui nous paraissait si pauvrement insignifiant s'était répandu dans tout le pays, à travers le réseau de nos mosquées et de nos souks où il dispensait ses prêches et écoulait ses manuels, et avait gagné le cœur des gens, les jeunes notamment, en rupture avec le monde étriqué et sans horizon que leur promettait le socialisme bureaucratique au pouvoir. Nous étions admiratifs, il y avait dans le regard de ces « fous d'Allah » une force qui semblait capable de déplacer des montagnes. Nous les avons vus ensuite multiplier les revendications culturelles et sociales, qui consistaient en interdictions et en obligations très précises, que le pouvoir inquiet, qui au cours des ans avait beaucoup perdu de sa verve révolutionnaire et de son aura héroïque, faisait siennes avec un empressement tactique honteux, enfonçant par là le pays dans une régression mentale porteuse de tous les dangers. C'en était fini de la mixité révolutionnaire entre étudiants et étudiantes et des tenues légères qui allaient si bien à nos filles.

La chute du shah en février 1979 et la mort de ses rêves d'occidentalisation de l'Iran passionnaient les islamistes, ils observaient avec jalousie ces Iraniens, des chiites, des musulmans de second ordre, réussir ce qu'eux ne pouvaient pas même espérer entrevoir dans cette vie tant le monde arabe s'était éloigné de la religion et des traditions et enfoncé dans l'hérésie socialiste.

Nous l'avons vu ensuite se radicaliser au fil des ans, dans ce contexte mondial tendu créé par les défaites arabes si humiliantes de 1967 et de 1973 contre Israël, les guerres d'Irak (celle de 1990-1991 et celle de 2003, baptisée *Iraqi Freedom*), les guerres d'Afghanistan (à partir de 2001) et de Bosnie-Herzégovine (1992-1995) pour lesquelles il a beaucoup recruté (ce qu'il n'a étrangement jamais fait, soit dit en passant, pour la Palestine, même aujourd'hui alors qu'il existe à Gaza un parti islamiste, le Hamas, disposant d'un bras armé déterminé, les brigades Iz al-Din al-Qassam). Hier inconnu et persécuté, l'islamisme est devenu un phénomène planétaire, il pensait le monde et tentait de le redessiner avec deux armes qu'il maîtrise parfaitement : la terreur et la prédication.

Nous l'avons vu, à la fin des années 1980 alors qu'il était au faîte de sa puissance, mobiliser des foules immenses, constituer des milices tapageuses qui imposaient l'ordre moral islamiste dans nos rues, ouvrir des camps d'entraînement militaire clandestins dans nos maquis et nos djebels, développer une économie dite islamique, investir massivement les activités caritatives et se substituer aux services sociaux publics particulièrement inefficaces, éradiquer la délinquance dans les quartiers contrôlés par eux, défier quotidiennement l'État par des marches, des grèves et des sit-in sauvages, et un jour, alors que le pays menaçait de s'effondrer suite à la chute brutale du prix du baril de pétrole sur les marchés mondiaux au début des années 1980, partir à l'assaut du pouvoir dont la corruption avait atteint des niveaux outrageants et que le peuple haïssait de toutes ses forces.

La tension était énorme et l'explosion imminente. Les rues d'Alger qui avaient connu la guerre coloniale et ses misères, et son apogée, la bataille d'Alger que le cinéaste italien Gillo Pontecorvo a merveilleusement adaptée à l'écran, étaient prêtes pour un nouveau film d'horreur.

Et un jour, le 5 octobre 1988, Alger entra en éruption, c'était le «printemps algérien», qui, après des mois de manifestations de rue et une répression féroce qui fit des centaines de morts et de disparus, obligea le pouvoir à concéder des réformes dans la précipitation et organiser des élections législatives anticipées que les islamistes, regroupés dans un parti politique nouveau, créé ex nihilo et en contradiction avec la Constitution qui interdit la formation de partis politiques sur des critères religieux, ethniques ou régionaux, le Front islamique du salut (FIS), emportèrent haut la main dès le premier tour.

Effrayée par les menaces d'épuration que l'aile radicale du FIS promettait de mettre en marche dès son investiture, l'armée cassa les élections, emprisonna les principaux leaders islamistes, décréta l'état d'urgence, instaura le couvre-feu. Leurs lieutenants s'enfuirent à l'étranger, principalement en Allemagne, Suisse, Grande-Bretagne, États-Unis, et les militants de base gagnèrent les maquis où les attendaient caches, armes, stocks de vivres et de médicaments, préparés de longue date. Les islamistes étaient optimistes, ils oubliaient que l'armée algérienne était dirigée par des hommes qui avaient fait une guerre révolutionnaire contre la France et ne manquaient ni de technique ni de détermination. C'était en janvier 1991. Le pays entrait dans une guerre civile qui allait durer une douzaine d'années.

Dès les premières opérations, nous comprîmes que les islamistes ne s'embarrasseraient d'aucune règle, d'aucune considération morale, ils firent une guerre effroyable, s'attaquant particulièrement aux civils, n'épargnant ni femmes ni enfants, et l'armée qui n'avait pas davantage de retenue riposta avec une égale sauvagerie. Le peuple était pris en tenaille, sommé de se ranger derrière l'un ou derrière l'autre. Des villages entiers furent massacrés par on ne sait qui, le gouvernement accusant les islamistes et les islamistes accusant le gouvernement. La population, elle, ne se trompait pas, elle attribuait à chacun ses crimes et ses mensonges.

Le monde entier a suivi cette barbarie qui au fil des mois prenait des allures de génocide, mais jamais personne n'est intervenu, ni le Conseil de sécurité, ni un quelconque État. À Alger, nous avions l'impression de vivre une fin de monde à huis clos.

Nous avons vu également les islamistes faire preuve d'un grand talent en termes de stratégie et de communication nationale et internationale, nettement supérieur à celui du gouvernement englué dans sa bureaucratie et surtout divisé quant à la façon de «gérer» l'islamisme : l'éradiquer, comme le voulaient les chefs de l'armée, appelés les «éradicateurs», ou négocier avec lui et lui faire une place dans le pouvoir, ce que préconisaient les politiques, appelés les «réconciliateurs». Comme il était question de pouvoir derrière ces jeux claniques, éradicateurs et réconciliateurs se firent la guerre, les morts

mystérieuses se multiplièrent. Les islamistes, jouant les
victimes des méchants généraux, réussirent sans difficulté à convaincre les gouvernements occidentaux (mais
pas leurs opinions publiques qui sentaient bien que
l'islamisme était une menace qui un jour gagnerait toute
la planète) de la justesse de leur combat, arguant du fait
indiscutable qu'ils avaient gagné les élections, et dans
le même temps ils faisaient tout pour étendre la révolution islamiste dans d'autres pays arabes, le Maroc et
la Tunisie en premier, mais aussi en Europe, en France
surtout, pour la punir d'avoir longtemps soutenu la dictature impie d'Alger, dans le but de créer une dynamique
globale irréversible, qu'ils appelaient « le jihad contre les
juifs et les croisés » ou « le grand jihad pour Allah ». Ces
expressions que nous entendions pour la première fois,
habitués que nous étions aux slogans de l'Internationale
socialiste, avaient une force apocalyptique qui exaltait
les uns et tétanisait les autres. Réellement, un monde
finissait et un autre commençait.

Lorsque des islamistes dissidents du FIS, jugeant
leurs chefs trop indécis dans la conduite du jihad, voire
tentés de négocier avec le gouvernement, formèrent les
GIA, les Groupes islamiques armés de triste mémoire,
nous apprîmes par leurs communiqués qu'ils n'étaient
pas seulement en guerre contre un régime despotique
et corrompu, ce qui leur avait apporté un soutien assez
général, et contre les pays occidentaux qui appuyaient
ces régimes, ce qui leur avait assuré un autre soutien,
mais qu'ils étaient en guerre contre des religions, contre
des races, des civilisations, des cultures. Les talibans

afghans étaient leur modèle, ils voulaient faire aussi
bien qu'eux, sinon mieux : restaurer le califat, vu comme
l'État islamique parfait où nul infidèle, nul hypocrite,
n'aurait sa place. Leur slogan, qu'ils scandaient en bran-
dissant le Coran, était : « Pour lui nous vivons, pour lui
nous mourrons. »

Nous découvrîmes que derrière l'image de violence
primaire et de désordre mental qu'ils se donnaient pour
mieux effrayer se cachait ce qui était, et commençait à
transparaître, une stratégie découlant d'un plan ancien,
de dimension planétaire, né de la jonction idéologique,
dans les années 1930-1950, entre la très puissante et très
influente association des Frères musulmans (en 1948,
elle comptait déjà plus de deux millions d'adhérents),
la richissime Arabie Saoudite, première puissance
pétrolière au monde, et certains non moins richissimes
émirats du Golfe, visant à combattre l'occidentalisation
culturelle des pays musulmans qui avait déjà séduit leurs
élites, et d'une manière générale les citadins, à les ré-
islamiser en profondeur et de là, grâce à la force acquise
par la fédération de leurs moyens, à libérer la Palestine
et à islamiser toute la planète. C'était la Nahda, née dans
le fracas humiliant de la chute de l'Empire ottoman et
des colonisations, revue par les Frères musulmans,
mûrement pensée depuis et patiemment mise en œuvre
grâce à l'argent du pétrole et aux moyens modernes de
communication. La littérature islamiste qui circulait
par ses livres et par le Net ne laissait aucun doute là-
dessus. La Nahda, ou Éveil de l'islam, était précisément
la démarche visant à redonner à l'islam la dignité et la

force conquérante qui étaient les siennes au temps du Prophète et des premiers grands califes.

Le bilan de cette confrontation entre les islamistes radicaux et le pouvoir algérien (1991-2006) est terrifiant : plus de deux cent mille morts, une économie dévastée, un pays détruit, des blessures sociales et morales irréparables, l'élite moderne du pays décimée, assassinée par les uns et les autres ou dispersée dans une émigration sans retour, l'image du peuple algérien ternie dans le monde pour très longtemps.

Aujourd'hui, en 2013, la guerre est finie mais la paix n'est pas revenue, l'islamisme radical est vaincu militairement mais il est toujours là, enraciné dans la population, ancré dans les institutions, se renouvelant constamment, s'adaptant aux conditions récentes, se répandant de nouveau et tissant des liens profitables avec l'internationale islamiste, aussi bien la tendance modérée que la tendance jihadiste, et les réseaux mafieux internationaux qui ont fait du Sahara et du Sahel une plaque tournante du trafic intercontinental de drogue et d'armes. La transformation des GIA en GSPC (Groupe salafiste pour la prédication et le combat) et plus tard en AQMI (Al-Qaïda au Maghreb islamique) montre que l'islamisme radical algérien dépassait la problématique purement algérienne et rejoignait le plan mondial, conçu par les Frères musulmans et l'Arabie Saoudite, à travers un de leurs instruments, Al-Qaïda. Les islamistes internationalistes avaient disqualifié les islamistes nationaux, appelés les djaz'arites (de El Djazaïr = Algérie), les algérianistes, qui eux limitaient leurs ambitions à leur pays, l'Algérie. L'internationale islamiste avait imposé ses vues : c'est le monde qu'il faut islamiser et pas seulement les pays musulmans qu'il faut remettre sur la voie du véritable islam.

Sous le masque de l'islamisme modéré (qu'en Algérie la rue appelle « l'islamisme radical en costume cravate » et parfois « Jekyll & Hyde »), l'islamisme radical, qui a toujours plusieurs fers au feu, a établi des liens fructueux avec des dignitaires civils et militaires du pouvoir algérien, avec les notables et les oligarques proches du pouvoir (commerçants et entrepreneurs qui le financent) et avec les élites intellectuelles déçues par l'Occident et en rupture avec ses valeurs.

De l'autre côté, l'État est toujours là, plus fort que jamais, disposant d'une manne pétrolière considérable, mais il n'est l'État que de la junte militaire et de ses clientèles locales et étrangères. Les crimes et les horreurs commis durant les douze années de guerre civile sont aussi là, parmi les nombreux non-dits de ce qui est pudiquement appelé la « tragédie nationale » par la loi dite de Réconciliation nationale, votée en 2006, qui en réalité ne réconcilie rien, elle officialise une amnistie générale qui ne dit pas son nom et consacre l'accord secret passé entre les chefs de l'armée et les islamistes de l'AIS (Armée islamique du salut, bras armé du FIS) pour une sorte de partage du pouvoir et de la rente pétrolière. Ces non-dits planent sur le pays, jetant le discrédit sur les institutions nationales et ceux qui les dirigent. Ce silence imposé, cette honte cachée rendent impossibles le retour à une paix véritable et l'émergence d'un processus démocratique sincère.

Parallèlement à l'évolution de la crise algérienne, nous avons vu l'islamisme se répandre dans le monde, s'internationaliser à travers de multiples organisations civiles, la plupart légalement constituées, et se radicaliser dans des organisations jihadistes comme Al-Qaïda et ses avatars (AQMI), jusqu'à concevoir des plans gigantesques dont le 11-Septembre à New York a été l'apogée. Nous avons vu comment, lors du « printemps arabe », en 2011 et 2012, il a su infiltrer des révoltes populaires d'essence démocratique et les retourner à son profit. Nous l'avons vu s'installer en Occident et s'attaquer à la démocratie en usant de la démocratie avec art et subtilité. Il a beaucoup appris au cours de ces années de confrontations avec les pouvoirs arabes et avec l'Occident. Il se sent victorieux et en mesure de vaincre les plus grands, les plus forts. Il a gagné sa place partout et ne cesse de l'élargir. Il a atteint le stade où il croit pouvoir aller plus vite en se mettant dans le sillage des islamistes modérés qui ont le vent en poupe, qui rassurent les opinions nationales et internationales et disposent de nombreux cadres capables de gouverner.

C'est à partir de ce vécu et des débats intenses que nous avons eus avec les uns et les autres durant ces longues années de guerre, dont je viens de rappeler quelques éléments significatifs, que j'ai écrit cet opuscule.

C'est ce vécu qui m'a amené, au plus fort de la guerre civile en Algérie, entre 1996 et 1998, à écrire *Le serment des barbares*, qui fut publié en France en 1999. Dans ce roman, je tente une explication de la guerre civile en Algérie, en partant de l'idée que le déchaînement de violence dans un pays a forcément des causes multiples, dont certaines sont anciennes, voire très anciennes, donc difficiles à percevoir et encore plus difficiles à expliciter, qui s'imbriquent d'une manière non linéaire, et qu'il est forcément le fait de plusieurs acteurs, pris dans une partie qui les dépasse, ce qui ne réduit en rien leur responsabilité. Ce déchaînement de violence n'a pas, comme on aurait pu le penser, conduit à la résolution de la crise, il a installé le pays dans un marasme et une douleur durables.

II

Islam et monde musulman,
une vue d'ensemble

Cette présentation, articulée en trois points, s'adresse au lecteur insuffisamment informé sur l'islam, elle lui fournit des informations de base dont il a besoin pour entrer pleinement dans le présent ouvrage. Elle renvoie à deux annexes, 1 et 2, dans lesquelles il trouvera un complément d'informations susceptible d'améliorer sa compréhension du monde musulman.

1. Contrainte et domaine d'application
de la charia

Dans les débats sur l'islamisme, on entend tant de mots qui semblent dire la même chose et recouvrir des réalités différentes qu'on est perturbé. Nous voyons par exemple que les activistes islamistes, dont on parle souvent, et presque exclusivement quand on aborde la question de l'islam, sont désignés par de nombreux vocables : musulmans, fondamentalistes, intégristes, salafistes, jihadistes. Le profane est rebuté, l'islamisme lui paraît plus mystérieux que jamais, il s'imagine avoir affaire à une hydre à mille têtes échappée de l'Antiquité. De la même manière, le mot « islamisme » est concurrencé par autant de vocables : fondamentalisme, intégrisme, salafisme, islam politique, islam radical. La confusion est totale lorsque, en plus, et c'est ce qu'on fait souvent, on accole à ces mots d'autres vocables tels que wahhabite, sunnite, chiite, etc. On comprend qu'avec une telle profusion de mots d'aucuns en viennent à faire des amalgames, dont le plus préjudiciable pour tous est de confondre l'islam, religion respectable et brillante s'il en est, et l'islamisme, qui est l'instrumentalisation de l'islam dans une démarche politique, sinon politicienne, critiquable et condamnable. Le lecteur avisé ne tombera pas dans le piège, il cherchera plutôt à approfondir sa connaissance pour rester maître de son jugement.

Deux considérations fondamentales sont à savoir pour faire le distinguo entre ces termes :

La première est le degré de contrainte que l'autorité en islam — qui peut être le gouvernement ou une institution religieuse habilitée à émettre des « avis religieux » (en arabe : *fatwa*) — peut ou doit exercer sur les fidèles pour les amener à une pratique conforme de l'islam et aussi sur les non-musulmans vivant dans le pays pour les amener à respecter les usages religieux locaux. Or, le Coran, qui est la source fondamentale de l'islam, ne répond pas clairement à cette question — c'est le cas également pour d'autres questions aussi sensibles —, il fournit en vérité des réponses contradictoires, du moins susceptibles de lectures divergentes. La méthode, préconisée par le prophète Mohammed lui-même en cas de difficulté et de doute, ainsi que par les plus éminents savants de l'islam, est l'interprétation par divers moyens : l'effort de réflexion (*ijtihad*), l'analogie (*qiyâs*), le consensus (*ijma'*), la consultation des érudits, le jugement personnel en dernier ressort. Ces méthodes sont des sources légitimes de droit musulman, du moins dans certains rites, lorsque le Coran et la Sunna, ainsi que les hadiths canoniques, à savoir «les dires» explicitement reconnus comme étant ceux du Prophète, ne fournissent pas de réponses claires.

L'islam n'étant pas encadré par un clergé, et ne disposant pas d'un Vatican, n'organisant donc ni conclave pour désigner un pontife, ni synode ni concile pour trancher sur les questions de dogme, il appartient à chacun de décider en fonction de sa lecture des textes religieux, des circonstances qui sont les siennes et de l'endroit où il se trouve.

C'est de cette possibilité offerte aux fidèles, mais aussi en conséquence des innombrables conflits politiques et guerres fratricides qui ont jalonné l'histoire des musulmans, que l'islam, qui est censé clore le cycle des révélations divines, commencé avec le judaïsme et poursuivi par le christianisme, s'est très tôt divisé en courants (en arabe : *madhhab*, pl. *madhâhib*), dont les principaux sont : le sunnisme, le chiisme, le kharidjisme, le soufisme, qui, à leur tour, se sont divisés en écoles de pensée, ayant elles-mêmes donné naissance à de nombreuses sous-écoles et sectes comme le wahhabisme, qui est une secte du sunnisme hanbalite professant un islam

ultraorthodoxe et salafiste (ayant deux voies, l'une tradi-
tionaliste et l'autre jihadiste), dont on parle aujourd'hui
beaucoup parce qu'elle est la religion de l'Arabie Saoudite
et que ce pays est religieusement, politiquement, écono-
miquement et financièrement très influent sur la scène
internationale, et comme la secte des Frères musulmans
que le « printemps arabe » a propulsée au pouvoir dans
certains pays arabes (Tunisie, Égypte).

Ces divisions de l'islam (en arabe : *fitna* = sédition, division, guerre civile entre tenants d'une même obédience)
couvrent tout le spectre de la foi et de la loi, elles vont
de l'islam contemplatif et poétique des mystiques soufis, quasi anachorètes, dont les territoires se réduisent
comme peau de chagrin sous la pression des idéologies
dominantes et les sollicitations de la vie moderne qui
laissent peu de place au mysticisme, jusqu'à l'islamisme
le plus fanatique, le plus rétrograde, qui a atteint des
cimes dans l'Afghanistan des talibans, dans l'Algérie
des GIA durant la guerre civile, et dont les territoires
ne cessent de s'étendre en Afrique, au Moyen-Orient, en
Asie, en Europe, en Amérique du Nord.

Signalons, à titre anecdotique, cet islam nouveau dont
le credo semble tourné vers un hédonisme purement
matériel qui fleurit dans cet eldorado surgi du désert
qu'est Dubai où faire du shopping cinq fois par jour tient
lieu de rite religieux. On le trouve aussi ici et là dans les
milieux enrichis par la rente dans plusieurs pays arabes
où piétisme et affairisme se tiennent la main pour réaliser une accumulation jouissive de biens matériels et de
gadgets coûteux.

Dans toutes les écoles et tous les rites, la question de la contrainte en religion s'est posée et a soulevé d'innombrables et interminables disputes théologiques, parfois violentes, jusqu'à aujourd'hui, balançant entre contrainte et liberté en matière religieuse. Dans certaines écoles de pensée, on s'en tient à cet enseignement du Coran qui dit explicitement : « *Point de contrainte en religion* » (*Lâ ikrâha fi-dîn*), ou encore à celui de la sourate des Infidèles : « *1 – Dis : "Ô vous les infidèles ! 2 – Je n'adore pas ce que vous adorez. 3 – Et vous n'êtes pas adorateurs de ce que j'adore. 4 – Et je ne suis pas adorateur de ce que vous adorez. 5 – Et vous n'êtes pas adorateurs de ce que j'adore. 6 – Vous avez votre religion et j'ai la mienne."* » Ces écoles enseignent un islam tolérant, respectueux, et moderne en ce sens qu'il professe aussi et de manière insistante un véritable amour de la science. Dans un hadith célèbre, le Prophète a recommandé aux fidèles qui le questionnaient : « Cherchez le savoir même en Chine. »

En Algérie, le savant musulman réformiste Ben Badis (1889-1940), fondateur du mouvement des ulémas musulmans algériens, a fait de cette recommandation le cœur de son projet de modernisation de l'islam. Ben Badis a inspiré un courant réformiste important dans tout le Maghreb mais il est resté très élitiste, alors que le discours des Frères musulmans s'adressait aux couches populaires et aux jeunes tenaillés par le nationalisme et l'envie d'en découdre avec le colonialisme et l'Occident. En Algérie, ce discours radical était celui de Messali Hadj, chef du parti populaire l'Étoile nord-africaine, leader incontesté des nationalistes algériens, notamment au sein de l'émigration en Europe. Messali n'avait évidemment que mépris pour la démarche réformatrice de Ben Badis. Dans tous les pays arabes, on retrouvait les mêmes évolutions et les mêmes personnages très semblables aux figures emblématiques algériennes.

D'autres écoles privilégient en revanche les versets qui légitiment la contrainte, jusqu'à l'écrasement ; ceux-là commandent au musulman le jihad contre l'infidèle, et notamment le verset dans lequel Allah ordonne à Mohammed : «*Ô Prophète, mène le jihad contre les infidèles et les hypocrites et sois dur à leur égard.*» Et parfois en effet, le Prophète se montra impitoyable. L'extermination de la tribu juive des Banu Qurayzah sur ordre de Mohammed est évidemment souvent rappelée par les islamistes pour justifier et exalter leurs crimes.

Selon l'école et le contexte historique, on enseignera donc la modération et la compréhension ou l'intolérance et la sévérité, la persuasion par le verbe ou la soumission par les armes, la coopération ou la séparation et le conflit, etc. La question d'essence religieuse est évidemment polluée par des considérations politiques, les pouvoirs et les partis ont toujours instrumentalisé la religion et construit leur propagande partisane sur les versets qui leur conviennent, arguant en appui de leur démarche du fait que l'islam est une *totalité*, il statue sur toutes les questions qui se posent au musulman et à la communauté, qu'elles soient d'ordre théologique, politique, juridique, social ou autre.

Sur ces questions, on se reportera avec profit aux ouvrages de Gilles Kepel, sans doute le meilleur spécia-

liste de l'islam politique, et notamment à ces deux livres :
Jihad. Expansion et déclin de l'islamisme et *Fitna. Guerre
au cœur de l'islam*, publiés aux éditions Gallimard
en 2000 et 2004.

La seconde considération concerne le champ d'application de la loi islamique.

Il y a ceux qui considèrent que la loi islamique s'applique aux seuls musulmans, et vivant dans un pays
musulman, c'est-à-dire dans un milieu qui permet une
pratique aisée et cohérente de la foi et de la loi islamiques. En voyage, le musulman n'est pas tenu durant le
trajet de suivre toutes les prescriptions concrètes de la loi
coranique, ni même à l'arrivée s'il se trouve en pays non
musulman ; comment en effet manger halal, prier dans
une mosquée, pratiquer l'aumône, dans un pays ayant
d'autres pratiques religieuses ? Et le musulman qui réside
dans un pays étranger est appelé à respecter en priorité
les lois de ce pays, même si elles sont en contradiction
avec les préceptes coraniques ; il peut même, si révéler sa
foi le met en danger, pratiquer la *taqîyya*, c'est-à-dire la
dissimulation, que certains rites autorisent. L'étranger en
voyage dans un pays musulman est quant à lui tenu à la
simple règle de la bienséance et de la civilité.

Et il y a ceux qui pensent que la loi islamique a vocation
universelle, puisque dictée par Allah à l'humanité entière,
elle s'applique à tous et à chacun sans distinction, sans
tergiversation ni arrangement. Il faut porter la parole
d'Allah partout et ce devoir s'impose à tout musulman.

Certaines écoles acceptent cependant que les populations non musulmanes vivant dans un pays musulman

conservent leurs cultes, mais alors elles sont placées dans un statut social inférieur à celui des musulmans, le statut de *dhimmi,* qui leur fixe des obligations spécifiques dont la liste peut être très longue, comporter des prescriptions humiliantes, allant par exemple jusqu'à leur imposer la forme et la couleur des vêtements, la façon de marcher dans la rue et quoi faire quand ils croisent un musulman, mais leur garantit en échange la protection pour leurs personnes et leurs biens. Jadis, ce statut imposait aussi le paiement d'une taxe spéciale. Les populations passibles de la *dhimma* varient d'un rite musulman à l'autre, d'un pays à l'autre : ce peut être tous les non-musulmans sans exception, ou les chrétiens et les juifs seulement, ou les idolâtres seulement, etc.

Il semble que pour les juifs vivant en pays musulman, le statut de *dhimmi* qui leur était systématiquement imposé, pour dur et humiliant qu'il ait pu être, leur assurait une situation meilleure que celle qu'ils connaissaient en terres chrétiennes. Cela demande à être relativisé, en terres musulmanes il y a eu aussi des ghettos juifs et des pogroms comme en terres chrétiennes, et inversement, en certaines terres chrétiennes (Pays-Bas, France, Allemagne) il y eut en certaines périodes de réelles facilités pour les juifs, ceux du moins qui par leurs activités et leurs connaissances avaient réussi à se hisser dans la hiérarchie sociale. On se gardera de généraliser et de prendre pour vérité vraie les assertions des uns et des autres.

Dans le Portugal et l'Espagne au moment de la Reconquista de la péninsule Ibérique par les rois catholiques

(718-1492), musulmans et juifs connurent la même déplorable situation, ils furent impitoyablement pourchassés par les gendarmes des rois chrétiens et par la Sainte Inquisition, dépossédés, convertis de force ou expulsés du pays. L'histoire des marranes et des morisques, ces juifs et ces musulmans restés en Espagne et au Portugal, est une tache dans l'histoire de ces pays. Convertis de force au christianisme, ils se souvenaient avec regret de la période où ils étaient soumis aux sultans musulmans. Pour les morisques, c'était la fin de l'âge d'or, ils ne guériront jamais de cette perte et de cette humiliation ; pour les marranes, c'était le temps où ils vivaient en paix dans leur foi sous la tutelle des souverains musulmans.

Selon le degré de contrainte et l'étendue du domaine d'application de la loi coranique, on parlera donc d'islam tolérant, de fondamentalisme, de salafisme, d'islamisme modéré, d'islamisme radical, d'islamisme sectaire, etc. Il ne faut pas sous-estimer la force des débats et des polémiques autour de ces deux questions, elles eurent autant d'impact sur l'évolution de l'islam que les disputes sur la pauvreté du Christ ont pu en avoir sur l'évolution du christianisme et de son Église, dont Umberto Eco a formidablement rendu la complexité dans son chef-d'œuvre *Le nom de la rose*, débat qui revient à l'honneur, après des siècles de reflux, avec le nouveau pape François, qui dès son élection en mars 2013 déclarait : « Je voudrais une Église pauvre, pour les pauvres. »

2. *Les écoles islamiques*

À ce stade, pour que la lecture de ce qui suit soit profitable, il faut avoir une idée de la typologie du monde musulman, qui compte aujourd'hui 1,57 milliard de personnes, présentes dans quasiment tous les pays. Elles représentent 23 % de la population mondiale, se répartissant comme suit : Asie (972 millions), Moyen-Orient + Afrique du Nord (315 millions), Afrique subsaharienne (240 millions), Europe (38 millions), Amérique du Nord (5 millions). Ces chiffres sont ceux du Pew Research Center aux États-Unis dont les études statistiques font autorité. Sur son site, on trouvera toutes les données désirables pour se faire une idée précise du monde musulman. L'annexe 2 rappelle quelques-unes de ces données.

Selon une autre statistique (ONU), en 2006 le nombre de musulmans dans le monde a pour la première fois dépassé celui des catholiques (19,2 % contre 17,4 %). Cette information produisit un effet considérable, les islamistes y virent le signe que leur victoire était proche ; dans les pays chrétiens qui comptent en leur sein une communauté musulmane importante, on décréta que le véritable danger était la démographie, elle jouait infailliblement en faveur des musulmans, la contraception et le contrôle des naissances étant interdits dans leur religion, alors qu'en Occident la natalité est en baisse tendancielle constante depuis des décennies. Cette peur est à relativiser, la population musulmane croît en effet plus vite que les autres populations et croîtra même deux fois plus vite dans les vingt prochaines années mais, comme partout, une inflexion de la fécondité apparaîtra. Déjà, le nombre de jeunes dans maints pays musulmans baisse sensiblement et les mariages se font de plus en plus tard, chez les garçons comme chez les filles. La démographie est influencée par la religion mais, sur la durée, elle obéit à sa logique propre, elle se régule selon d'autres considérations, très concrètes.

La peur de l'islamisme agissant, la démographie est constamment sollicitée en Europe, elle fait partie des instruments d'analyse du monde musulman et du phénomène islamiste qui s'y développe. En France, il a été envisagé de mettre en place un système de statistiques ethniques pour suivre, entre autres, la population musulmane, mais le projet a été abandonné car jugé discriminatoire au regard de la Constitution, qui interdit de traiter des données personnelles faisant apparaître les orientations politiques, religieuses, syndicales, sexuelles, l'état de santé ou les origines ethniques ou raciales. Dans un pays comme Israël, la démographie au Moyen-Orient est une obsession. Son évolution détermine dans une large mesure les orientations politiques et sécuritaires fondamentales des autorités israéliennes. En revanche, du côté des islamistes, on observe avec satisfaction toute évolution démographique qui renverse le rapport de force en faveur des Arabes et des musulmans. On cite souvent la parole suivante attribuée à Yasser Arafat : «Nous vaincrons Israël grâce au ventre de nos femmes.» Dans cette course, le Hamas encourage la natalité dans les familles arabes vivant en Israël et dans les Territoires palestiniens, et en Israël on encourage la venue d'immigrés juifs pour compenser la baisse de la natalité chez les Israéliens juifs.

Rappelons que l'islam comprend quatre grands courants (*madhâhib*) : le sunnisme, le chiisme, le soufisme, le kharidjisme, plus quelques autres de moindre importance, voire minuscules comme la NOI (Nation of Islam), née aux États-Unis et présente seulement dans ce pays, dont les adhérents étaient principalement des Noirs, d'où leur nom : Black Muslims. C'est une histoire particulière, on se reportera avec intérêt au livre de Robert Dannin, *Black Pilgrimage to Islam*, Oxford University Press, 2002. On apprendra comment l'islam est arrivé en Amérique, par les esclaves africains musulmans lors de la traite négrière, comment il a évolué au cours du temps pour devenir avec les Black Muslims un moyen d'affirmation identitaire et de lutte contre l'hégémonie blanche, et comment il évolue de nos jours dans le contexte créé par l'expansion tous azimuts de l'islamisme et alors que l'islam « importé » par les immigrants musulmans de ces trente dernières années (arabes, afghans, africains...) prend corps en tant qu'islam américain, s'organise et, comme partout, produit à sa marge des rameaux islamistes hyperactifs, sans doute liés à l'internationale islamiste.

Les quatre grands courants de l'islam sont :

1.   Le *sunnisme*, qui s'appuie sur le Coran et la Sunna (mot désignant à la fois la Loi de Dieu éternelle et immuable, ainsi que l'enseignement du Prophète, d'où

le nom de « sunnisme »), est porteur d'une vision orthodoxe de l'islam. Il est le courant dominant, il représente
85 à 90 % des musulmans dans le monde. Il se divise
lui-même en quatre grands rites, professant chacun une
vision différente de l'islam sunnite. Les dignitaires de ces
rites se vouent une inimitié fraternelle et passent leur
temps à se disputer sur des points de dogme mais aussi,
de plus en plus, sur des questions de politique. Ces rites
sont : le malékisme, le hanafisme, le chafiisme, le hanbalisme, chaque rite s'étant lui-même scindé en plusieurs
branches et rameaux, couvrant chacun une aire géographique plus ou moins grande, intégrant ici et là des
pratiques culturelles locales antérieures à l'avènement
de l'islam ou acquises depuis au contact d'autres populations, qui donnent au rite sa couleur locale distinctive.

– Le malékisme, fondé au VIIIe siècle à Médine en Arabie par l'imam Malek Ibn Anas, professe un islam
  orthodoxe austère, très ritualiste, il est le rite majo-
  ritaire en Afrique du Nord et de l'Ouest ; 20 % des
  musulmans dans le monde sont attachés à ce rite.

– Le hanafisme, fondé au début du VIIIe siècle à Koufa
  en Irak par Abû Hanîfa Al-Nu'man Ibn Thabit, c'est
  le rite le plus ancien, il professe un islam libéral et
  rationaliste, il s'est développé dans les pays musulmans non arabophones. Il domine en Turquie et
  en Asie (Chine, Inde, Bangladesh). En nombre de
  fidèles, il est le plus important.

– Le chafiisme, fondé au IXe siècle par l'iman Al Chafii,
  il s'est répandu en Égypte, en Indonésie, en Malaisie,

aux Comores, aux Philippines, à Brunei, au Yémen.
En nombre d'adhérents, il vient après le hanafisme.
Dans ce rite, l'excision des filles est obligatoire.

– Le hanbalisme, fondé au IXᵉ siècle par l'imam Ibn
Hanbal; c'est une école de pensée rigoriste très
conservatrice; il s'est développé en Syrie, en Irak,
en Palestine et surtout en Arabie Saoudite où il s'est
encore durci pour donner naissance au XVIIIᵉ siècle
au wahhabisme, créé par le prédicateur Mohammed
Ben Abdel Wahhab.

2.   Le *chiisme* est un courant complexe, à la fois rationaliste, spiritualiste et ésotérique. Il fait une large place au
raisonnement déductif qui insiste sur l'argumentation, le
libre arbitre, et le caractère *créé* du Coran, contrairement
au sunnisme qui le considère comme un objet *révélé*.
Le mot « chiisme » s'est imposé mais il est impropre, les
chiites se considèrent seuls orthodoxes et se nomment
eux-mêmes les *adéliés*, partisans de la justice ou partisans d'Ali, Ali étant le cousin de Mohammed, c'est lui
que le Prophète aurait désigné pour lui succéder en tant
que premier calife mais les compagnons du Prophète en
décidèrent autrement, ils choisirent Abu Bakr, son beau-
père, d'où la première division de l'islam en sunnisme
et chiisme. Le vocable « chiite », qui vient du mot arabe
cha'ïa (faction, parti, et par extension hérésie), leur a
été donné par leurs adversaires, les sunnites. Le chiisme
représente 10 à 15 % des musulmans dans le monde, il
est dominant en Iran et en Irak, il existe en Syrie et dans
le nord de l'Arabie Saoudite.

L'islam interdit de placer des intermédiaires entre les hommes et Dieu, mais le chiisme est le seul courant musulman à disposer d'une sorte de «clergé», devenu très puissant au fil du temps, notamment en Iran depuis l'instauration d'une république islamique dans laquelle l'ayatollah exerçant la fonction de guide suprême est au-dessus du président de la République élu au suffrage universel. Dans le chiisme, l'histoire a une suite, Mohammed n'est pas le dernier prophète, les fidèles attendent le *Mahdi* (*el mahdi mountadhar* = le mahdi attendu), une sorte de messie, qui à la «fin des temps» sortira de la descendance du prophète Mohammed, pour venir «*combler la terre de justice et d'équité autant qu'elle est actuellement remplie d'injustice et de tyrannie*». Le chiisme se divise en quatre branches se divisant elles-mêmes en de nombreuses écoles et sectes dissidentes :

– Les <u>duodécimains</u> (appelés aussi <u>jafarites</u>); ils croient en l'existence des douze imams légitimes et en leur infaillibilité (les douze imams étant les membres de la famille du Prophète, les seuls selon les chiites qui pouvaient lui succéder et rapporter fidèlement ses hadiths, ses dires), c'est le courant officiel en Iran depuis la révolution islamique de 1979; 80 % des chiites appartiennent à ce courant.

– Les <u>zaïdites</u>; ils sont présents presque exclusivement dans les montagnes du nord-ouest du Yémen.

– Les <u>ismaéliens</u>, dont le chef spirituel est l'Aga Khan. Une des très nombreuses branches des ismaéliens est le rameau hétérodoxe druze, présent au Liban dans les montagnes du Chouf, leur fief ancestral; les Joumblatt, fondateurs et dirigeants du Parti socialiste progressiste libanais, sont une des deux familles (l'autre étant les Hamadé) emblématiques des druzes. Les druzes rejettent la charia et croient en la métempsycose.

– Les ghoulâts, parmi lesquels est la minorité alaouite qui gouverne la Syrie des Assad.

3.   Le *soufisme* (*tassawuf*) est une voie ésotérique initiatique; les soufis cherchent l'amour de Dieu et la sagesse et pratiquent des ascèses extatiques souvent extrêmes. Ils sont organisés en confréries (en arabe, *tarîqa*, pl. *turuk*), des sortes d'organisations monastiques vivant en marge, de manière quasi autarcique. Les plus connues sont la qadiriyya, la tidjaniyya, la rahmaniyya... En Afrique du Nord, le soufisme prend parfois la forme du maraboutisme. Pour les musulmans sunnites et chiites, il est une innovation superstitieuse (en arabe : *bid'âh*), les soufis ne sont pas des musulmans, on les accuse de pratiquer la sorcellerie et le paganisme, ils furent souvent persécutés par les sunnites, qui les soupçonnent d'être des alliés des chiites avec lesquels ils partagent au demeurant une certaine vision ésotérique du monde et l'idée que la connaissance fondamentale est cachée, incompréhensible pour le commun et ne se transmet que de maître à disciple après une longue initiation très codifiée. On les accuse d'affaiblir l'islam par leurs pratiques mystiques peu compatibles avec les traditions musulmanes orthodoxes, très centrées sur la règle et la loi. En Afrique du

Nord, on les tolère, ils vivent en marge, ne se mêlent pas de politique, et constituent un secteur culturel et économique important, notamment au Maroc, où ils forment la «couleur locale» dont le tourisme exploite si bien les charmes. Les *mevlevis*, qu'en Europe on appelle les «derviches tourneurs», sont des soufis qui pratiquent l'ascèse par la danse et la transe, ils sont implantés en Turquie.

Les grands maîtres soufis sont universellement connus, ils étaient aussi d'immenses poètes et d'éminents philosophes, tels Al-Hallaj, Jalal Eddine Rûmi (fondateur de la Mevleviyya), Al-Bistâni, Ibn Arabî et l'extraordinaire Rabia al-Adawiyya appelée «la Mère du bien». L'émir algérien Abdelkader, qui mena la résistance contre la colonisation française de l'Algérie, est également reconnu comme un grand maître soufi. Il est aussi réputé pour avoir été un maître de la franc-maçonnerie en France (Grand Orient de France). On croit également savoir que Hassan el-Banna, fondateur des Frères musulmans, une secte sunnite ultra-orthodoxe, salafiste et jihadiste, était lié au soufisme, qui est une quête intérieure contemplative et poétique, ce qui ajoute à l'étrangeté du personnage.

4.   Le *kharidjisme* est un courant dissident ancien, qui conteste les deux grands courants de l'islam, le sunnisme et le chiisme. Il enseigne un islam tolérant et pacifique tout en étant rigoriste et puritain, pratiquant une ascèse par le travail. C'est le rite dominant dans le très prospère sultanat d'Oman, à travers un de ses rameaux, le plus important, l'ibadisme. Ailleurs, il existe quelques poches, vivant discrètement, dont la plus importante se trouve en

Algérie. Pour les grands courants musulmans sunnite et chiite, l'ibadisme est une secte impie, il a été violemment combattu au cours de l'histoire et partout repoussé. En Algérie, les ibadites, appelés mozabites parce que implantés dans le M'zab, une région inhospitalière aux portes du Sahara, vivent en marge de la société même si de plus en plus de mozabites, généralement très instruits et cultivés, occupent des fonctions importantes dans l'enseignement supérieur et la haute administration. Ils sont aussi très présents dans le commerce, la banque et l'industrie manufacturière, activités qu'ils exercent avec efficacité et sérieux. Par leur travail et leur gestion exceptionnelle de l'écosystème et de la ressource hydrique, ils ont fait du M'zab l'une des régions les plus prospères du pays. Deux autres poches se trouvent en Tunisie dans l'île de Djerba et dans le nord-ouest de la Libye, dans le djebel Nafûsa.

Au cours du temps, d'autres courants et d'autres écoles sont apparus et ont disparu, certains ont laissé des traces et d'autres aucune.

Il s'est constitué un islam hors écoles de pensée qui revêt les mêmes formes sur toute l'étendue du monde musulman : c'est l'islam populaire. Il est à la fois simple et serein — il se réduit à l'observance sans tapage ni ostentation des obligations islamiques principales (la prière, le ramadhan, le pèlerinage [*el hadj*] et l'aumône légale [*zakat*]) et quelques rites traditionnels devenus au fil du temps communs à tous les musulmans où qu'ils soient dans le monde (fêtes liturgiques) —, et contraignant et compliqué dans la mesure où il fait peser sur la société une chape infaillible qui l'empêche d'évoluer. Cela s'explique par le fait que les musulmans du monde entier sont en quelque sorte contraints de vivre en communauté pour diverses raisons, anciennes et nouvelles, notamment pour se doter des moyens nécessaires à la bonne pratique de leur religion (une mosquée, une école coranique, un cimetière musulman, un hammam, un commerce halal de proximité, un greffe avec cadi pour constater les transactions passées entre les membres de la communauté selon le droit musulman). À l'étranger, cette démarche est d'autant plus nécessaire que la communauté finance elle-même ces structures, par les dons des croyants et d'autres venant de sources étrangères, ce qui n'est pas forcément souhaitable et explique certaines dérives, comme des mosquées transformées en annexes commerciales ou en centres d'endoctrinement et de recrutement. Les nécessités de sécurité, de solidarité et de préservation de l'unité sociale et religieuse entrent également en ligne de compte. Dans les faits, le communautarisme est encore plus contraignant car on se regroupe entre membres d'un même rite, d'un même pays, d'une même tribu, d'une même fratrie, ce qui renforce d'autant le pouvoir de contrôle et de coercition du groupe sur l'individu. Cette promiscuité engendre parfois des effets pervers, chez les jeunes qui peuvent trouver que la communauté est trop formaliste et austère ou au contraire pas assez. Dans ces communautés, le seul choix offert aux jeunes est la soumission ou la révolte, ce n'est pas un climat favorable à une évolution et une intégration sereines.

En annexe 1 est fourni un aperçu de la configuration du monde de l'islam en rites, écoles et mouvements. Quand on sait les différences fondamentales qui les séparent, et tous les ressentiments accumulés au cours des siècles, on mesure combien sont illusoires les projets qui visent à les unir dans une hypothétique famille, la mythique oumma, la communauté de tous les musulmans du monde, projets que plusieurs pays musulmans ont caressés à un moment ou l'autre de l'histoire, l'Égypte, l'Afghanistan, l'Iran, l'Arabie Saoudite, la Turquie, chacun évidemment autour de son rite, sunnite pour les uns, chiite pour les autres, et à l'intérieur de son plan stratégique (leadership au Moyen-Orient pour l'Iran, constituer un lien entre l'Europe et le Sud méditerranéen arabe pour la Turquie, unification de l'islam sunnite autour du wahhabisme pour l'Arabie Saoudite).

Ce constat en explique un autre, la très faible, pour ne pas dire l'inexistante, coordination entre les musulmans des différentes obédiences, que ce soit à l'échelle des rites et des écoles ou des États. L'Organisation de la conférence islamique (OCI), créée en 1969, dont le siège se trouve à Djeddah en Arabie Saoudite, s'est donné pour vocation de développer la coopération entre les cinquante-sept États-membres mais elle n'a jusque-là obtenu aucun résultat significatif. Les divergences religieuses et politiques, les systèmes de gouvernement et les alliances stratégiques des uns et des autres en sont la cause, tout entre ces États fait opposition. C'est sans doute aussi le côté hétéroclite de l'Organisation qui en est la cause, ses buts sont trop larges, trop nombreux, religieux, politiques, économiques, sociaux, culturels, elle regroupe des États très religieux (Arabie Saoudite, Qatar, Maroc...) et des États laïcs (Azerbaïdjan, Kazakhstan, Kirghizistan, Ouzbékistan, Liban, Turquie, Sénégal, Syrie, Tadjikistan, Turkménistan) mais pas l'Inde, la Russie et la Chine qui comptent des dizaines de millions de musulmans (20 en Chine, 20 en Russie, 138 en Inde). Si en Chine et en Russie la situation des musulmans est difficile, elle est dramatique en Inde où fanatiques musulmans et fanatiques hindous rivalisent de barbarie face à des pouvoirs publics impuissants. La situation des sikhs est désespérante : selon le cas, ils sont vus comme musulmans ou comme hindous et brutalisés par les uns et les autres.

Les États arabes sont tous membres de l'OCI, mais ils sont aussi rassemblés dans la Ligue arabe dont le siège est au Caire et dont les instances sont le Sommet des chefs d'État, le Conseil des ministres des Affaires étrangères, les Comités permanents spécialisés (économie, culture, politique), les agences spécialisées autonomes (travail, télécom, sciences).

Dans tout ce qui suit, nous parlerons plus spécifiquement de l'islamisme dans ses différentes variantes : modéré, radical, salafiste, jihadiste.

3. De la liberté en islam

Pour de très nombreuses raisons, tels l'éclatement de l'immense empire musulman à partir du XIe siècle en une kyrielle de petits royaumes féodaux, instables et en guerre permanente entre eux, la colonisation par les puissances européennes, la domination intellectuelle de l'Occident judéo-chrétien sur l'ensemble du monde, l'islam, lui-même éclaté en une multitude de courants, d'écoles, de rites, en conflit entre eux ou s'ignorant totalement, a pris énormément de retard quant aux interpellations que la vie adresse aux individus et aux sociétés, auxquelles les religions doivent aussi, pour leur part, apporter des réponses diligentes afin que l'évolution soit harmonieuse, que la société puisse se déterminer par rapport à ce qui est licite (*halal*), illicite (*haram*), réprouvé (*makrouh*) selon le dogme religieux en vigueur et l'état des connaissances profanes de l'humanité. Une des raisons du malaise qui traverse le monde musulman tient à cela, le refus des institutions religieuses de considérer les interpellations de l'époque présente et de leur apporter des réponses appropriées.

Depuis les indépendances nationales, qui ont enclenché un désir puissant d'émancipation par rapport à des traditions tombées en désuétude, ou à des pratiques de l'islam restées figées sur des jurisprudences anciennes, ou à la vision du monde que leur avait inculquée ou imposée le colonisateur occidental, la demande d'explicitation et de débat est allée croissant, d'autant plus fortement que dans ces pays la population majoritairement très jeune a enregistré des progrès certains en matière d'éducation et d'information et qu'elle est plus directement confrontée au reste du monde. Mais les féodalités anciennes et nouvelles, religieuses, économiques, militaires, au pouvoir dans ces pays ont jusque-là empêché cette actualisation

(en arabe : *ijtihad*) visant à repenser, moderniser si possible, la relation du musulman au sacré, au monde, à la
société, à l'individu, à l'autre, à la science, la technologie,
la morale, au droit positif, à la femme, à la sexualité, la
démocratie, la laïcité, etc.

Le bouillonnement et les tensions que connaît
aujourd'hui le monde musulman, et arabe, tant en
interne que dans ses relations avec l'étranger, montrent
que cette actualisation est en train de se faire dans le
désordre et la violence plutôt que dans la continuité, la
réflexion, la négociation. Il faut garder à l'esprit que le
musulman pratiquant a, bien plus que le musulman laïc
et non croyant, besoin de réponses aux multiples questions qu'il se pose et qui l'assaillent dans un monde en
évolution rapide, un monde qui ne le connaît pas et que
lui-même ne connaît pas, pour en avoir été tenu à dis-
tance durant si longtemps. La seule voie pour que cette
actualisation de la pensée islamique se fasse de manière
pacifique et profite à tous, c'est de libérer la parole des
musulmans, que chacun puisse s'exprimer en toute sécurité en tant qu'individu et en tant que citoyen. C'est tout
le défi auquel est confronté le monde musulman.

Il faut noter que, relativement à la question du débat
sur l'islam, la liberté de parole est également malmenée
en Europe où le simple énoncé du mot «islam» bloque
toute discussion ou la dirige vers les lieux communs du
politiquement correct. Les réactions toujours très violentes des islamistes à la moindre remarque sur l'islam,
réactions promptement relayées et amplifiées par les
médias, ont fini par dresser une sorte de «mur de Berlin»

entre l'islam et la critique que tout homme peut émettre à l'endroit de toute idée, fût-elle sacrée. L'image de ce qu'on a appelé « la rue arabe », que les télévisions du monde entier diffusent souvent, montrant des foules déchaînées brûlant le drapeau de tel pays, occidental généralement, ou attaquant son ambassade, exerce un effet terrorisant sur l'opinion. Certains n'osent même plus parler en public de l'islam, des musulmans ou des Arabes, de peur de se voir accusés d'islamophobie, de racisme et de vouloir provoquer des conflits intercommunautaires.

En ce domaine, les islamistes radicaux ont innové, ils ne se contentent plus d'intimider ou de menacer : prenant exemple sur les Américains, ils recourent aux tribunaux qu'ils saisissent à tout bout de champ, pour tout propos qui leur déplaît et qu'ils qualifient de leur propre chef d'islamophobe, d'anti-arabe, de discriminatoire, diffamatoire, vexatoire, etc. Les médias eux aussi rivalisent de prudence dans le traitement de l'image et de la parole, ils préfèrent même éviter d'aborder le sujet « islam ».

En Europe, terre de liberté s'il en est, on peut tout critiquer et user de toutes les formes de la critique, jusqu'à la satire et la parodie, mais on ne peut pas critiquer l'islam et son Prophète même avec les mots les plus convenus et les meilleures intentions. Les affaires, qui ont défrayé la chronique, de toutes ces personnes condamnées à mort pour avoir exprimé un point de vue jugé attentatoire à l'islam et son Prophète sont là pour témoigner de la gravité de la situation : Salman Rushdie pour avoir écrit *Les versets sataniques*, le journal danois *Jillands-Posten* pour avoir caricaturé le prophète Mohammed en terroriste, le philosophe français Robert Redeker pour avoir dénoncé les intimidations des islamistes, Taslima Nasreen pour avoir critiqué la condition faite à la femme au Bangladesh, son pays, et avoir incriminé l'islam, la psychiatre syro-américaine Wafa Sultan pour avoir déclaré que l'islam était une menace pour la liberté et la paix dans le monde, le Hollandais Theo Van Gogh assassiné pour avoir produit un film jugé attentatoire à la dignité des musulmans, et tant d'autres condamnations, parfois d'une insupportable cruauté, comme celle de Rimsha, l'enfant pakistanaise chrétienne accusée de blasphème et menacée de mort pour avoir déchiré un coran.

En conséquence de quoi, l'islamisme est devenu le sujet sur lequel on se rabat pour s'exprimer en creux sur l'islam. Et pour mieux dire ce qui est insinué, on se fait le défenseur d'un islam de tolérance et de paix qui semble sortir d'une réclame de rêve et on reporte ainsi sur les musulmans les critiques que l'on voulait en vérité adresser à l'idéologie dont l'islam a été chargé au cours des siècles par des régimes féodaux et des religieux fanatiques. Cela est également un amalgame, aussi grave que celui qui consiste à confondre islam et islamisme : les musulmans ne sont responsables ni des incohérences de la religion ni de l'instrumentalisation que des régimes arabes féodaux et des partis islamistes ténébreux en font et qui donnent une image si triste d'eux.

J'observe, et cela est un paradoxe, que c'est quand même dans les pays musulmans que l'on entend les seuls véritables débats sur l'islam et son prophète avec des critiques parfois osées. La différence tient sans doute dans le fait qu'un musulman dispose du droit naturel de

critiquer sa religion mais pas un chrétien ou un juif dont
les critiques seraient forcément, par nature, blasphéma-
toires et insultantes. Il y a tout le complexe historique
(croisades, colonisation, domination économique) qui
intervient à un moment ou à un autre pour installer le
débat dans le biais et la polémique.

III

L'islamisme dans le monde : Constats et interrogations

L'islamisme est aujourd'hui une réalité installée dans le monde. Il a su le faire discrètement, à l'ombre des dictatures qui gouvernaient les pays musulmans et sous couvert de l'islam que peu à peu il a transformé en un discours idéologique dont la finalité est le contrôle de la société et la prise de pouvoir. Ce projet politico-religieux est en passe d'être concrétisé dans plusieurs pays musulmans arabes et commence à s'enraciner au-delà des frontières des terres musulmanes.

Tout cela, il faut le noter, et c'est un élément important de l'analyse, s'est fait en très peu de temps, ce qui démontre d'une part la fragilité et la permissivité des systèmes politiques, juridiques, philosophiques, moraux et autres mis en œuvre dans les États à l'effet de protéger les institutions et les populations contre les dérives extrémistes, et d'autre part la puissance des moyens modernes de communication (Internet, réseaux sociaux) que les islamistes utilisent avec un talent certain.

Tout cela surprend mais nous savons que ne se laisse surprendre que celui qui le veut bien.

Dans une interview donnée en 1946, André Malraux nous avertissait déjà : « *Le problème capital de la fin du siècle sera le problème religieux.* » La formule avait fait grand bruit.

Précisément, la question de l'islamisme fait aujourd'hui grand bruit dans le monde, en des débats sans fin, enflammés et catégoriques souvent, violents parfois, qui enveniment les relations à l'intérieur des communautés et entre elles.

Par ailleurs, les attentats, les prises d'otages, les attaques contre des minorités, les violences contre les femmes en particulier, les profanations et expéditions punitives diverses, revendiqués par des activistes islamistes ou qui leur sont attribués, et l'état de violence endémique dans plusieurs pays musulmans (Afghanistan, Algérie, Liban, Nigeria, Somalie, Soudan...) ainsi que la jonction des réseaux islamistes jihadistes avec les réseaux mafieux (narcotrafiquants) font l'actualité d'un bout à l'autre de la planète depuis une trentaine d'années, et bloquent le monde dans un état de tension insupportable aux plans sécuritaire, social et psychologique.

L'hypothèse de Malraux semble trouver une confirmation, on dirait que l'islam tel que véhiculé par les islamistes pose un problème, sans doute le plus sérieux de ces trente dernières années, et tout laisse à penser qu'il le sera davantage dans les temps à venir. On peut en effet supposer que le phénomène affectera aussi, par contagion, par réaction ou pour des raisons endogènes, les autres religions qui vont se radicaliser, ce que nous voyons déjà avec certains évangélistes américains et fondamentalistes juifs dont les protestations et les propos guerriers vont crescendo. Le pasteur américain Terry Jones a défrayé la chronique tout au long de l'année 2012 avec son projet de brûler des corans en public et il a été soutenu par de très nombreux fidèles à travers plusieurs États américains.

On imagine qu'en parlant de religion Malraux songeait à toutes les religions, en premier les trois religions révélées qui partagent le même Dieu et les mêmes prophètes. On dirait que nous arrivons au point où le Dieu unique ne peut plus appartenir qu'à l'une ou l'autre religion. Le dialogue interreligieux a réellement besoin d'être relancé, soutenu et démocratisé.

Remarque : La création récente (2012) à Vienne (Autriche) par l'Arabie Saoudite d'un centre interreligieux et interculturel est une bonne chose. Mais le risque est important que ledit centre, dirigé par le ministre de l'Éducation nationale saoudien en personne, ne soit en réalité qu'un instrument de promotion du wahhabisme.

En l'occurrence, les débats sur l'islamisme tournent autour d'un certain nombre de constats et de postulats plus ou moins validés, de vérités et de contrevérités clamées généralement avec force.

1. L'islam est en pleine expansion dans le monde et cette expansion inquiète. Elle aurait un côté conquérant

et brutal, elle est en tout cas large et rapide et génère des crispations, des colères, des rejets, des affrontements. Elle se fait par l'émigration musulmane, par les conversions, de plus en plus nombreuses, et par les investissements énormes que certains États musulmans consacrent au développement de l'islam dans le monde, en Occident en particulier, dans les pays et les villes où des communautés musulmanes importantes sont implantées (Europe occidentale, pays scandinaves, Amérique du Nord, Australie).

2. L'islamisation serait arrivée à un point où elle modifierait en profondeur des équilibres anciens, sensibles, annonçant des ruptures ou des inversions de tendances lourdes. Des projections sont fournies, donnant à penser qu'à terme l'islam supplanterait le christianisme dans plusieurs pays d'Europe, du moins en nombre de fidèles fréquentant régulièrement leur temple (synagogue, église, mosquée); les pays arabes quant à eux se videraient de leurs chrétiens comme ils se sont vidés de leurs juifs; les chiites minoritaires disparaîtraient du monde arabe sunnite et inversement; des traditions et des symboles anciens qui structurent l'imaginaire des sociétés musulmanes et font partie du patrimoine culturel et symbolique de l'humanité seraient déclarés impies et éradiqués (par exemple, les statues géantes de Bouddha en Afghanistan, les mausolées soufis de Tombouctou au Mali, les koubbas soufies en Tunisie, etc.). La carte du monde change et est appelée à changer plus vite et plus radicalement.

3. Les raisons de cette expansion restent inconnues. On ne sait pas si l'islam et dans sa foulée l'islamisme progressent en réponse à une demande de spiritualité induite par le matérialisme dominant ; s'ils sont une nouvelle expression du panarabisme, version islamo-baathiste, ressurgissant à la faveur d'une mondialisation qui annonce la fin relative de la suprématie de l'Occident par ailleurs en déclin intrinsèque, ou du panislamisme, dans une sorte de Nahda foncièrement anti-occidentale, visant à unifier le monde musulman dans un nouveau califat et islamiser le reste du monde ; ou s'ils sont simplement une démarche d'affirmation identitaire et culturelle dans un monde lui-même en quête de repères ; ou s'ils sont, encore plus simplement, le résultat du tropisme naturel qui pousse un organisme jeune, vigoureux et fortement grégaire à dominer son milieu, d'autant plus brutalement que celui-ci est divisé, décadent, vieillissant, individualiste, et dépendant de ressources désormais hors de sa portée.

4. Concrètement, là où l'islamisme s'installe, il *sacralise* le territoire, en y construisant une mosquée par exemple, ce qui en fait *ipso facto* un espace rattaché à *Dar el islam* (maison de l'islam), il se radicalise en conséquence, devient hégémonique et entre en conflit avec les identités, les croyances et les traditions locales, et une fois le territoire conquis, rompt le contact avec l'extérieur ou va conquérir le territoire voisin. Dans les pays musulmans, l'islamisme entend se réapproprier l'intégralité du territoire islamique historique, rogné par les évolutions vers la modernité, la démocratie, la mondialisation, et le *laver*

de ses impuretés et de ses péchés, il rejette les minorités religieuses et les étrangers qui polluent son atmosphère, et sanctionne les mauvais musulmans (démocrates, libres-penseurs, femmes modernes, homosexuels, etc.). La destruction d'Israël entre dans ce schéma de purification, cette terre, la Palestine, est plus que toute autre *Dar el islam*, elle doit le redevenir et le rester à jamais, c'est de ce lieu, Jérusalem, du mont du Rocher, que le prophète Mohammed guidé par l'archange Gabriel est « monté » au paradis. Et par contrecoup, Israël est *Dar el harb*, la terre où il faut porter la guerre sainte au nom d'Allah, *el jihad fi sabil elah*.

Remarque : les notions de *dar el islam* (maison de l'islam), *dar el harb* (maison de la guerre), *dar es-silm* (maison de la paix), *dar el hikma* (maison de la sagesse), *dar el haq* ou *dar el adl* (maison de la justice), et leurs contraires, les maisons de l'impiété, de l'injustice, des ténèbres (génériquement : *dar el Kofr*), sont des notions fortes et simples qui structurent la vision du monde du musulman. Toute terre, tout lieu, tout domaine, matériel ou immatériel, réel ou virtuel, est regardé sous l'angle de cette dualité. Il y a le monde de l'islam qu'il faut protéger et il y a le monde du mal dans lequel il faut porter la guerre. Pour le musulman pacifique et tolérant, ce sont là des notions symboliques, on combat le mal en le refusant. Pour l'islamiste radical, la guerre a pour but de tuer l'autre, celui qui contrevient aux lois de l'islam.

5.   Partout l'islam est de plus en plus pris en mains par des islamistes, aujourd'hui très nombreux et bien structurés, qui s'inscrivent dans une démarche offensive : ils

endoctrinent, recrutent, convertissent, développent des affaires dites islamiques (finance, commerces halal, écoles coraniques), édictent des lois, imposent des normes isla-miques, assurent la police des mœurs sur *leur* territoire. Les plus radicaux forment des cellules, s'articulent à des réseaux (jihadistes, terroristes, mafieux). Selon le cas, ils travaillent pour eux-mêmes, localement et à leur échelle, ou pour des organisations nationales ou internationales plus ou moins secrètes, ou pour des organisations reli-gieuses (caritatives, culturelles) œuvrant officiellement à l'expansion de l'islam, financées par des États, l'Arabie Saoudite, l'Iran, le Qatar, le Pakistan, l'Algérie, le Maroc, qui veulent en vérité exercer un leadership sur l'islam à l'échelle planétaire ou régionale et contrôler leurs conci-toyens à l'étranger qui à leurs yeux restent des nationaux bien que nés dans ces pays ou y ayant été naturalisés.

6. C'est un fait, partout, la communauté musulmane reste passive devant ces agissements qui pourtant la des-servent et nuisent à l'islam. On déplore tout particuliè-rement le silence de ses intellectuels. À quelques rares exceptions près, ils sont absents des débats publics. On entend souvent dire, à raison, que c'est aux musulmans qu'il revient de défendre leur religion. Le silence valant consentement, on voit cette communauté, dans son ensemble, comme une armée de réserve, une *cinquième colonne*, mobilisable à tout moment, et on s'en méfie. Elle est observée, stigmatisée, et elle réagit comme telle, elle s'indigne, accuse et stigmatise à son tour. L'attitude des gouvernements arabes est également critiquée, ils combattent le terrorisme mais nourrissent et protègent

l'islamisme qui est sa matrice idéologique et livrent l'enseignement de l'islam à des charlatans ou des idéologues qui transforment l'islam en islamisme ; leur choix est de gouverner leur peuple par l'ignorance et dans la peur afin d'empêcher la revendication démocratique de prendre corps et venir les submerger. Mais en vérité c'est une politique décidée un peu au-dessus de leur tête, par des arrangements complexes entre ces dirigeants, l'Arabie Saoudite, le Qatar, et les grandes puissances, les États-Unis et l'Europe, qui ont des politiques spécifiques en direction du monde arabe et musulman (souvent simplistes) et qui entendent que chacun s'y inscrive. Outre les intérêts économiques à préserver (pétrole, marché), la raison de cette entente est que le monde arabe est entré depuis les indépendances dans une période d'instabilité politique et existentielle probablement longue et qu'il doit être contrôlé, et les seuls moyens d'y parvenir sont les dictatures militaire ou religieuse car il serait fondamentalement récalcitrant à la démocratie.

Telle serait la réalité observable en maints endroits du monde, et telle que la rapportent l'actualité et les débats précités. Elle donne une image négative de l'islam et des musulmans, horrible si l'on ajoute les crimes innombrables qui se commettent en leur nom et les archaïsmes culturels qui violentent les sociétés musulmanes d'autant plus durement qu'elles vivent dans une précarité et un isolement destructeurs.

Mais, et c'est là que réside le paradoxe, *un paradoxe extraordinaire* :

1.   Dans le même temps que l'actualité donne de lui une image repoussante, l'islam ne cesse de s'étendre, de se renforcer, de mobiliser et fasciner des foules, susciter des vocations et des conversions dans tous les pays, tous les milieux, jusque parmi les élites et les célébrités (scientifiques, intellectuels, sportifs, artistes et même des militaires qui ont combattu le terrorisme islamiste) ainsi que les religieux chrétiens et juifs (pasteurs, rabbins). Il en va de même de l'islamisme qui, par son discours justicier, sa geste révolutionnaire et ses promesses d'éternité, passionne les « *Damnés de la terre* », comme les appelait Frantz Fanon, les exclus et les marginaux que la mondialisation ne cesse de multiplier.

2.   Partout dans le monde, des intellectuels et des journalistes de renom, arabes et occidentaux, œuvrent à donner une autre image de l'islam et des musulmans. Ils mettent en avant la qualité du message coranique, qui est un hymne à la paix et à la tolérance, ils soulignent les qualités de solidarité et d'hospitalité des musulmans, l'originalité et la finesse de leur culture, et pointent du doigt ceux qui diabolisent l'islam et les musulmans pour des motifs politiciens. Ils montrent les progrès réalisés ici et là, au Maghreb en particulier (statut de la femme, éducation, liberté de la presse, etc.), qui démontrent l'avancée des sociétés musulmanes vers la modernité et ils fournissent des batteries d'indicateurs démographiques (taux de scolarisation des filles, recul de l'endogamie, progression des mariages mixtes, etc.), qui en effet évoluent tous vers des standards modernes.

L'idée que la religion n'est pas responsable des crimes commis en son nom est aussi vieille que les religions. Le fait est que beaucoup, dans tous les pays, sont convaincus que les attentats prêtés aux islamistes, même lorsque ceux-ci les revendiquent, ont été organisés et commis par d'autres, la CIA, le Mossad, les services secrets arabes, etc. Certains intellectuels occidentaux considèrent même que le temps de l'Occident s'achève et que l'islam est peut-être en train d'ouvrir une voie au monde, en tout cas il serait en train de féconder et revivifier l'Occident, vieilli et épuisé. Le philosophe français Michel Onfray, qui connaît une audience considérable en France et sans doute dans toute l'Europe, grâce à son université populaire libre, sise à Caen, dont les conférences, toutes passionnantes, sont accessibles sur Internet, n'est pas loin de tenir un discours similaire.

3.   Le « printemps arabe », déclenché au nom de la liberté et de la démocratie, a partout donné démocratiquement le pouvoir aux islamistes et aujourd'hui les gens réclament l'application pleine et entière de la charia, dans laquelle ils voient la garantie d'une vraie justice. Les pays du Maghreb et du Moyen-Orient entrent dans une dynamique qui les verra peut-être réaliser le vieux rêve des partisans de la Nahda : rassembler les pays arabes dans une union islamique qui serait le début d'un nouveau califat. Les islamistes y croient, certains observateurs le pensent, la religion ainsi exaltée peut être un ciment puissant. La Ligue arabe a tenté depuis sa création en 1945 de fédérer tous les États arabes mais le projet n'a jamais été loin, les pays arabes sont trop diffé-

rents sur beaucoup de plans pour entrer dans le même moule, il y eut quelques mariages éphémères, certains n'ont pas dépassé le stade de l'annonce officielle. On a vu naître pour un jour ou quelques mois une République arabe unie (RAU) socialiste fédérant l'Égypte, la Syrie et le Yémen du Sud, et quelques unions vite enterrées entre la Libye de Kadhafi et l'un ou l'autre pays « arabe » frère : l'Égypte, l'Algérie, la Tunisie, le Maroc. En revanche, le mariage de sept émirats arabes en une fédération, les Émirats arabes unis, créée en 1971 — Abou Dhabi, Ajman, Sharjah, Fujaïrah, Dubai, Ras al-Khaima et Umm al-Qaïwain —, dont la capitale fédérale est Abou Dhabi et dont le président est le souverain d'Abou Dhabi, le cheikh Khalifa ben Zayed al-Nahyane, a tenu bon et fait montre d'une belle stabilité et d'une prospérité solide. C'est un paradoxe, là où des républiques qui se voulaient modernes ont échoué, ces émirats féodaux fortement religieux ont réussi.

Quant à l'Union du Maghreb arabe (UMA), formée en 1989 entre la Mauritanie, le Maroc, l'Algérie, la Tunisie et la Libye, elle existe toujours. L'organisation a son siège à Tunis et des agences dans les cinq pays, mais c'est une machine qui tourne à vide, sans orientation politique ni programme d'aucune sorte, et cela depuis sa création, en raison des tocades de Kadhafi, des coups d'État en Algérie, en Mauritanie, de la guerre civile en Algérie, et de la guerre sourde entre les deux grands pays de l'Union, le Maroc et l'Algérie, à propos du Sahara occidental que le Maroc considère comme territoire marocain et que l'Algérie soutient dans sa lutte pour l'indépendance.

Avec les transformations que connaît le Maghreb depuis le « printemps arabe », l'UMA, qui a l'avantage d'exister depuis vingt-quatre années et d'avoir les structures adéquates, peut devenir un tremplin pour les islamistes, au pouvoir déjà dans deux pays (Maroc et Tunisie) et en marche pour le prendre dans les trois autres (Mauritanie, Algérie, Libye), qui leur permettra de concrétiser leur rêve de construire une puissante union islamiste à laquelle viendraient naturellement s'agréger l'Égypte et le Soudan, voire demain la Syrie, et que les monarchies du Golfe voudront aussitôt occuper et mettre sous leur tutelle. L'islam est né dans la péninsule arabique, c'est là qu'il doit rayonner à nouveau et c'est de là qu'il doit repartir à la conquête du monde.

4.   En Europe, l'islam connaît une expansion fulgurante malgré les obstacles mis sur sa route, le premier étant la démocratie elle-même qui empêche l'application de nombreuses prescriptions islamiques. Les jeunes musulmans de la deuxième et de la troisième génération s'engagent massivement et avec ardeur dans la voie de l'islam, dont pourtant ils ont une connaissance rudimentaire, et convertissent avec succès leurs amis chrétiens. Certains se radicalisent, généralement à la faveur d'un voyage en pays musulman où ils vont chercher un perfectionnement. Peshawar, Le Caire, Alger, Islamabad, Kaboul, Sanaa, mais aussi Londres, ont été des destinations pour ces jeunes en recherche d'un maître qui les guiderait vers Allah. Ils reviennent toujours profondément transformés par ces voyages initiatiques.

5. On voit aussi l'islam investir les sciences et les techniques les plus avancées, nucléaire, informatique, recherches médicale, spatiale... Il s'est incontestablement constitué une élite scientifique musulmane nombreuse, de haut niveau, pieuse et respectée dans son milieu, qui est persuadée de tenir sa réussite de sa foi et qui se considère en retour au service de l'expansion de l'islam. Son prosélytisme est très efficace. Les succès de ces musulmans d'élite, où qu'ils soient dans le monde, sont connus et largement rapportés, par Internet et par les prêches. Ils sont les meilleurs arguments « marketing » pour convertir dans les milieux universitaires et impressionner les jeunes.

Les progrès scientifiques de l'Iran sont mis en avant, ils sont d'autant plus impressionnants que le pays est sous le coup de sanctions du Conseil de sécurité des Nations unies. Le succès économique de la Turquie, gouvernée par des islamistes, est autant salué, et il n'est pas que commercial, il est industriel, ce qui dénote des capacités managériales supérieures, savoir-faire qui était jusque-là l'apanage des grandes puissances occidentales. Ce sont là des arguments forts pour démontrer que l'islam est compatible avec la modernité et ouvert sur le monde.

La Turquie est même reconnue comme élément de stabilisation de la région. À son propos, on se pose cette question formidable : La Turquie est-elle en train de moderniser l'islam ou est-ce l'islam qui l'a sortie pacifiquement de la dictature militaire et des rêveries de son passé ottoman, et modernisée en une petite dizaine d'années, qui aujourd'hui, sans concession sur son identité musulmane, veut intégrer l'Europe ? C'est là une

évolution extraordinaire qu'un pays musulman voie
son avenir dans la modernité et dans un environnement
chrétien, en union intime avec lui, cela démontre un
attachement fort à l'islam qui ne craint pas de s'ouvrir
mais au contraire a besoin de le faire pour résister au
temps, et cela montre que l'islam est à la recherche d'une
profondeur stratégique pour se répandre dans un espace
démocratique et laïc qui ne peut le refuser ni lui résister. Ce n'est que là que l'islam peut intégrer, digérer et
transformer la modernité et la démocratie et les mettre
au service de son expansion. Le monde musulman traditionnel ne peut pas, avant longtemps, très longtemps, lui
offrir ce tremplin. La violence islamiste n'a pas, si on y
réfléchit, beaucoup d'avenir et en tout cas elle ne permet
pas d'atteindre tous les objectifs. L'influence de la Turquie sur les Arabes, qu'ils soient démocrates, nationalistes, islamistes modérés ou radicaux, est considérable.
Ils sont des millions chaque année à s'y rendre pour voir
de leurs yeux ce *miracle islamique*.

On cite aussi en exemple le Sénégal, la Malaisie, l'Indonésie où l'islam fait bon ménage avec la modernité et
le pluralisme religieux, et ne se laisse ni déborder ni ins-
trumentaliser par les pouvoirs ou les islamistes radicaux.

Pour l'Iran, le jugement est réservé, son implication
présumée dans le terrorisme inquiète les Arabes (ils
pensent que cela ne sert pas la cause de l'islam mais les
intérêts de l'Iran chiite au détriment des intérêts de la
nation arabe sunnite) mais l'accusation portée contre
son programme nucléaire qui serait militaire n'est pas
prouvée. Sa résistance et sa fermeté face aux États-Unis
et à l'Europe lui valent une sympathie certaine chez

beaucoup de musulmans, de même que son soutien à d'autres héros de la cause arabe, le Hezbollah et le Hamas, lui est favorablement compté, même si le clivage sunnites/chiites propre au Moyen-Orient (il n'existe pas de population chiite au Maghreb) ne cesse de s'élargir, singulièrement depuis la guerre Irak-Iran et le lancement du programme nucléaire iranien dont les Arabes pensent qu'il pourrait un jour être tourné contre eux. La vieille et insoluble haine entre Perses et Arabes, chiites et sunnites, est toujours là, contrôlée mais vivace. Quoi qu'il en soit, les musulmans restent unanimes à dénoncer d'abord Israël, puissance militaire nucléaire avérée, et à attribuer à sa politique belliciste envers les musulmans l'état de guerre dans la région, et ensuite l'Amérique, son alliée indéfectible. L'injustice du « deux poids, deux mesures » est chaque fois soulignée par les musulmans pour justifier leur soutien à l'Iran dans son bras de fer avec l'Occident.

Ce qui vient d'être dit, qui donne deux images de l'islam, une image très négative et une autre plutôt positive, montre que nous ne comprenons pas les phénomènes qui sous-tendent l'éveil et l'expansion de l'islam et la radicalisation de franges importantes de la communauté musulmane, radicalisation amorcée dans les pays du Maghreb et du Moyen-Orient il y a une trentaine d'années et confirmée de manière éclatante et assez inattendue par le « printemps arabe ».

En Europe, la radicalisation qui gagne du terrain parmi les jeunes musulmans de la deuxième et de la troisième génération et parmi les jeunes Européens convertis à l'islam reste aussi inexplicable et inexpliquée. Les débats ont exploré toutes les pistes et toutes les tentatives ont été menées pour apaiser les tensions et promouvoir un nouveau «vivre-ensemble», mais rien n'y fait. La situation est arrivée à un point de rupture, à la radicalisation des uns répond la radicalisation des autres. Le divorce, si jamais il y a eu mariage, entre la communauté musulmane et la communauté nationale se profile sous l'action conjuguée de l'actualité et des extrémistes de tous bords.

Le phénomène de l'éveil de l'islam et de la radicalisation de nombreux croyants est difficile à comprendre parce que l'évolution passée de l'islam s'est faite à l'insu de tous. Il y a eu comme un effet de surprise qui a dérouté tout le monde. L'islam était sur une ligne de sommeil et de déclin depuis des siècles (depuis le XIe siècle, selon certains spécialistes), en Europe personne ne s'y intéressait, en dehors de rares universitaires, et dans le monde musulman les féodalités au pouvoir l'ont sciemment maintenu dans la régression et l'ignorance pour mieux contrôler leur population. La colonisation européenne des pays musulmans au XIXe siècle puis l'orientation socialiste prise par la plupart des pays musulmans à l'indépendance (Égypte, Syrie, Irak, Tunisie, Yémen, Libye, Soudan, Indonésie, Algérie, Mali, Guinée, Niger, Afghanistan, Albanie...) sont venues accentuer son effacement. Dans ces pays socialistes, plutôt révolutionnaires et tiers-mondistes, la religion était regardée comme «*l'opium du peuple*», selon l'expression de Karl Marx, et les rares opposants islamistes furent réprimés, forcés à l'exil comme l'Iranien Khomeiny et le Tunisien

Ghannouchi, emprisonnés comme les Algériens Abassi Madani et Ali Benhadj, fondateurs du Front islamique du salut, ou assassinés comme l'Égyptien Hassan el-Banna, fondateur de l'association des Frères musulmans, ou condamnés à mort et exécutés comme Sayyid Qutb, l'idéologue des Frères Musulmans. Durant tout ce temps, l'islamisme radical est passé dans la clandestinité, où il a été récupéré et instrumentalisé par les uns et les autres, les États-Unis, les monarchies conservatrices du Golfe, pour faire barrage au communisme encouragé par Moscou. Il a aussi tissé des liens avec les groupes terroristes d'extrême gauche et les narcotrafiquants.

Comment, après avoir disparu du radar de l'histoire, monopolisée par l'Occident chrétien depuis le Moyen Âge, l'islam a-t-il pu, en si peu de temps, deux ou trois générations, revenir au premier plan avec cette force et ces certitudes qui emportent tout devant lui ? Le rejet de la civilisation occidentale, discréditée par ses guerres, dont deux guerres mondiales monstrueuses, son colonialisme raciste et son capitalisme exploiteur, n'explique pas tout. Il faut remonter cette histoire et relire le message coranique pour voir ce qui a pu préparer une telle évolution.

Si l'éveil de l'islam se traduit par un regain de piété chez les fidèles et un retour aux valeurs premières de l'islam, démarche appelée salafisme (en arabe : *salaf* = prédécesseur, ancêtre), les islamistes ajoutent une aspiration forte au pouvoir démiurgique et totalitaire sur la société, sur laquelle ils exercent déjà une pression forte, continue, multiforme, terrorisante, et sur les institutions de l'État qu'ils encerclent et minent par d'incessantes revendications. Ils portent aussi la volonté de châtier ceux qui ont mis l'islam dans cet état de régression, qui ont divisé et humilié l'oumma, c'est-à-dire l'Occident et ses relais dans le monde musulman, les pouvoirs arabes corrompus, les intellectuels occidentalisés prompts à dénigrer l'islam. Le but étant de reconstituer le califat, sous une direction arabe, et repartir à la conquête du monde.

En maints endroits, les résultats sont tangibles, ici et là se forment des communautés vivant selon les règles strictes de l'islam orthodoxe et, dans plusieurs pays arabes, elles sont parvenues au pouvoir. Ces *success stories* vont susciter des vocations et servir de modèles.

La poussée de l'islamisme et son arrivée au pouvoir dans plusieurs pays arabes inquiètent d'autant plus qu'on pense que la victoire de l'islamisme dit modéré prépare l'accession au pouvoir de l'islamisme radical et qu'il y a une intelligence à la manœuvre disposant de moyens illimités. La réalité et le fantasme se rejoignent en l'occurrence pour obscurcir l'analyse. Dans le rôle du *deus ex machina*, on voit l'Iran, l'Arabie Saoudite, le Qatar, ou des organisations aux mille ramifications comme les Frères musulmans, ou les États-Unis qui ont joué un rôle important dans l'expansion de l'islamisme et son orientation vers le jihad pour servir leurs plans durant la guerre froide et leur stratégie de contrôle des gisements de pétrole dans le monde arabe. S'agissant du rôle très particulier du Qatar, on lira avec intérêt le livre de Christian Chesnot et Georges Malbrunot, deux reporters français qui durant cent vingt-quatre jours ont été otages de l'armée islamique en Irak, ayant pour titre *Qatar. Les secrets du coffre-fort*, paru en 2013 aux éditions Michel Lafon. Selon les auteurs, le Qatar aurait joué un rôle dans leur libération.

Mais on sait aussi que le développement de l'islamisme radical vient également des dictateurs arabes qui l'ont encouragé pour faire contrepoids aux revendications démocratiques qui s'élevaient dans la société, courageusement portées par les femmes, les étudiants et les syndicats ouvriers, suite à l'échec avéré du modèle de développement socialiste emprunté au système soviétique. Il y a aussi le conflit israélo-palestinien sur lequel un formidable imaginaire a été investi, et il y a la mondialisation qui crée une désorientation douloureuse pour ceux qui ne sont pas préparés et qui sentent que dans ce nouveau schéma du monde ils n'ont pas place.

Ce sont tous ces éléments qu'il faut interroger. Si nous ne connaissons pas l'évolution passée de l'islam et du monde musulman dans ses interactions avec le reste du monde, depuis les croisades jusqu'à la colonisation, en passant par la Reconquista, la fin du califat arabe puis du califat ottoman achevé par Kemal Atatürk, et la création d'Israël, données auxquelles le monde arabo-musulman fait constamment référence, nous ne saurons pas prédire son évolution future, du moins appréhender les objectifs plus ou moins réalistes, plus ou moins mythiques, poursuivis par les musulmans d'une part et par les islamistes radicaux d'autre part, ces objectifs n'étant pas forcément les mêmes. Ainsi la reconstitution du califat qui régnerait

sur le monde musulman est un objectif fort pour les islamistes radicaux, mais pour les simples musulmans c'est
une histoire du passé, les notions modernes de *nation*,
d'*État* et de *droit positif* ont assez largement remplacé
la notion mythique de *califat* dans lequel l'*oumma*, la
communauté de tous les musulmans dans le monde,
serait gouvernée par la *charia*.

Au cours des trente dernières années, le point de vue
sur l'islamisme a changé au moins quatre fois, ce qui
a empêché d'avoir un regard lucide sur la réalité et la
constance du phénomène de radicalisation progressive
qui le travaillait de l'intérieur.

1.   On l'a d'abord regardé avec sympathie. Dans cet
islam renaissant, revendicatif et combatif, on a vu le
moyen par lequel les peuples musulmans se libéreraient
des dictatures qui les opprimaient et, par conséquent,
échapperaient à l'influence de Moscou et se rappro-
cheraient de l'Occident. On a suivi avec la même sympathie l'aventure des moudjahidines afghans chassant les
Soviétiques de leur pays, celle des mollahs renversant le
shah, celle des islamistes algériens s'attaquant à la dictature des généraux. On parlait d'islam libérateur, émanci-
pateur.

2.   Ensuite, on l'a regardé avec une certaine inquiétude.
L'islam libérateur se transforma sous l'influence des islamistes et devint synonyme de régression. Par leur rigidité
et leur intolérance, les islamistes entraient en conflit avec

la société qui aspirait à mieux vivre, prenant clairement pour cibles les femmes, les intellectuels, les artistes, les homosexuels, les étrangers juifs et chrétiens. L'image des talibans lapidant des femmes, exécutant pour un oui ou pour un non, détruisant le patrimoine historique du pays (destruction au canon des statues géantes de Bouddha), révulsait et révoltait le monde.

3.   L'inquiétude s'est transformée en panique lorsque les islamistes ont recouru à la violence armée pour contrôler la société et répandre la terreur partout où ils le pouvaient dans le monde.

4.   Dans un quatrième temps, c'est l'étape actuelle, le sentiment est à la colère, à la confrontation. Le terrorisme a reflué devant le renforcement étouffant des dispositifs sécuritaires dans tous les pays, mais l'islamisme radical a changé de stratégie, il avance caché, il s'enracine partout, dans les pays musulmans et jusque dans le cœur de l'Occident. Il crée d'énormes tensions dans les sociétés, qui se trouvent ainsi menacées de déchirement. C'est la stratégie du ver dans le fruit.

Il semble que, dans la phase à venir, on incriminera l'islam et pas seulement l'islamisme, ce qui accréditerait l'hypothèse chère à Samuel Huntington, reprise et mise en pratique par G. W. Bush, que le monde est embarqué dans un choc des civilisations et pas seulement dans une guerre contre l'islamisme radical et le terrorisme. Cette vision holistique et apocalyptique est réellement envisagée et recherchée par les extrémistes des deux bords.

Ce sont toutes ces considérations qu'il faut regarder, de façon à faire la part des choses entre la réalité et le ressenti de cette réalité. Ici, le ressenti peut être exagéré, la peur nourrissant la peur, la réalité est vue avec une loupe déformante et grossissante. Et là, le ressenti minimise la réalité par manque d'information ou par besoin de se rassurer. Il y a des calmes trompeurs comme il y a des tempêtes qui sont passagères et locales. C'est à ce discernement qu'il faut s'efforcer et cela passe par une meilleure connaissance de base sur le sujet. Ce à quoi nous espérons contribuer.

IV

Les vecteurs de l'islamisme

L'islamisme n'est ni absurde ni réellement dangereux en lui-même. C'est un courant religieux ultraorthodoxe avec un objectif de transformation radicale des pays musulmans, voire du monde, aux plans religieux, politique, social, culturel, comme les sociétés humaines en ont connu et en connaissent encore et que l'on sait contenir si l'on s'y prend au plus tôt, en lui opposant des idées et des programmes adéquats.

Dans la plupart des courants islamistes, la transformation sociétale est recherchée par des moyens classiques, plutôt pacifiques — la prédication, le jeu politique, l'action caritative et la solidarité, l'éducation —, et par l'entrisme auprès des grandes institutions nationales (armée, justice, éducation, universités...) mais aussi des organisations civiles jusqu'aux petites associations de quartier, technique que les islamistes dits modérés maîtrisent au plus haut point jusqu'à en faire leur arme favorite : elle a démontré son efficacité dans divers contextes. Dans ce jeu, ils sont comme des poissons dans l'eau.

De plus, il les fait paraître civilisés et sympathiques par rapport aux radicaux qui ne jurent que par la violence. C'est par cette voie que l'AKP en Turquie, Ennahda en Tunisie, les Frères musulmans en Égypte sont arrivés au pouvoir, cependant on constate chaque jour que la transformation sociétale voulue par eux n'est pas forcément acceptée par les sociétés turque, tunisienne ou égyptienne, celles-ci adhèrent à certains de leurs projets mais pas tous. C'est la limite des islamistes modérés, ils aspirent au pouvoir, savent l'atteindre par l'entrisme et l'action politique et sociale mais ne savent pas l'exercer pour gouverner. Seuls les islamistes turcs ont su le faire, ils sont au pouvoir depuis dix ans et leurs résultats sont probants, ils leur valent un satisfecit général et cela, il est important de le souligner, sans que jamais ils soient apparus comme étant une menace pour la démocratie turque ou pour la paix et la stabilité dans la région, malgré pourtant une gestion musclée de l'opposition politique interne, de la rébellion kurde, et malgré des relations tendues avec l'Europe lors des négociations en vue de l'accession de la Turquie à l'Union européenne. Mais il est trop tôt pour juger de la situation dans le monde arabe, le « printemps arabe » n'est pas retombé et les nouveaux rapports de force ne sont pas assurés, les islamistes gouvernent encore sous le règne de l'état d'urgence, mais dans le fond ils consolident plutôt bien leurs positions.

D'autres courants islamistes recourent à des méthodes radicales, l'offensive, le harcèlement, la menace, l'escalade dans la violence et la terreur, pour subjuguer les populations et obtenir d'elles une soumission totale, immédiate, démarche que nous avons vue à l'œuvre en Somalie, en Afghanistan, en Algérie, dans le nord du Mali lorsqu'il était contrôlé par AQMI, dans les provinces musulmanes du Nigeria dominées par le groupe jihadiste Boko Haram.

De telles idées extrémistes existent dans toutes les sociétés, elles sont généralement marginales et portées par des partis très hétéroclites dans leurs effectifs et confus dans leurs pensées, et marqués par une tendance irrépressible à se diviser pour des questions de leadership, ce qui en fin de compte les empêche d'atteindre un rang national, mais on a vu au cours de l'histoire que de tels partis marginaux pouvaient en certaines circonstances exceptionnelles prendre une soudaine ampleur et menacer la société dans ses valeurs et ses structures fondamentales. À plusieurs reprises durant le XXe siècle, ils n'ont pas fait qu'effrayer, ils sont arrivés au pouvoir, prenant tout le monde par surprise, l'ont monopolisé et transformé en pouvoir absolutiste, et ont infligé au pays et au monde des souffrances incommensurables dont les cicatrices sont encore vives. C'est lorsqu'ils parviennent au pouvoir que les partis extrémistes révèlent leur vraie nature et leur extrême dangerosité, ils sont alors irrésistiblement conduits à se radicaliser et à s'ériger en dictature omnipotente.

Cela s'est produit, il n'y a pas si longtemps, dans des pays que les structures sociopolitiques internes prédisposaient sans doute à cela (par exemple : la révolution

communiste de 1917 qui a trouvé dans les structures
féodales de la Russie et de la Chine le creuset et le ferment pour accoucher du stalinisme et du maoïsme, dont
le bilan est effroyable, ou la révolution islamique que les
archaïsmes des sociétés musulmanes, aggravés par les
politiques de régimes despotiques et corrompus, soumis
à des intérêts étrangers cupides [Iran], ont transformée
en dictatures islamistes qui ont engendré guerres civiles,
régression, misère et isolement), mais cela est également
arrivé dans des pays où semblables idées n'avaient
aucune chance de sortir de la marginalité, au cœur de
l'Europe où la démocratie a trouvé dans la crise économique de 1929 et dans ses prolongements de quoi accoucher du nazisme et du fascisme ; c'est pour cela que nous
sommes inquiets face à l'avancée implacable de l'islamisme et sa tendance à ne supporter aucune opposition
et à se radicaliser devant les difficultés qu'il ne parvient
pas à résoudre.

Nous le sommes d'autant plus que les digues censées
le contenir sont fragilisées. L'islam, en tant que religion
révélée qui enseigne à l'homme « le droit chemin » (*es-
sirât el-moustaqim*) ainsi que l'annonce la première sourate du Coran, la *Fatiha*, l'Ouverture, est de plus en plus
mal connu, même de ses fidèles fervents, et mal enseigné ;
on ne sait plus utiliser sa force bienfaisante et norma-
tive pour contrecarrer les idées mortifères propagées par
les prédicateurs de l'islam radical. La question se pose :
d'où viendrait alors cet islam des Lumières qui promou-
vrait les sociétés musulmanes, et qui l'enseignerait aux
fidèles ? Quel islam de paix et de tolérance peut-il sortir
des mosquées improvisées, clandestines, échappant à

tout contrôle, dont l'enseignement n'est rien de moins qu'un endoctrinement primitif exercé sur des personnes en perte de repères ou en rupture avec leur société ?

La démocratie est un barrage formidable mais elle est en recul jusque dans les pays qui l'ont vue naître, comme en témoignent la montée continue des extrêmes et de l'abstentionnisme dans ces pays et l'apparition concomitante d'un islamisme endogène fortement revendicatif, ce qui se conçoit, mais aussi, conséquence de ses connexions multiples avec l'internationale islamiste, fasciné par la violence et de plus en plus tenté par le jihad international.

Et tout cela s'inscrit dans un contexte mondial des plus anxiogènes : une crise économique forte durablement installée, un environnement en dégradation continue, une montée constante de l'insécurité et du sentiment d'insécurité, une mondialisation sans éthique qui s'avère être une énorme machine de spéculation échappant elle aussi à tout contrôle institutionnel démocratique.

De plus, un peu partout, et paradoxalement dans les pays de vieille démocratie, le politiquement correct, inspiré par la peur ou le souci de ne pas exacerber les tensions entre les communautés, fait des ravages. Il empêche le vrai débat et l'émergence de contrepoids aux intimidations des uns et des autres. Aux yeux des radicaux, cette retenue est vue comme la preuve que la société est prête à capituler, qu'il suffit de la pousser pour qu'elle se brise.

Quelques exemples montrent comment le débat peut être plombé. En Algérie, prononcer en public le mot

« terrorisme » expose le contrevenant à une amende ou
à la prison. C'est la loi dite de Réconciliation nationale,
qui est en fait une loi d'amnistie pour tous les crimes
commis durant la guerre civile, qui stipule cela. La
sanction est alourdie si le contrevenant précise et parle
de « terrorisme islamiste ». En Europe, les interdictions sont insidieuses. Tout le monde l'a remarqué et
cela a été relevé avec insistance : le président François
Hollande n'a à aucun moment prononcé les mots essentiels « terrorisme islamiste » durant sa visite triomphale
au Mali après que le contingent militaire français eut
libéré la ville mythique de Tombouctou et chassé les islamistes qui l'occupaient et l'avaient gravement défigurée.
Son esquive a été reçue comme « élément de langage »
pour tous, depuis plus aucune *voix autorisée* en France
ne prononce ces mots. « Paris vaut bien une messe »,
dit le bon roi Henri IV lorsqu'il accepta de se convertir au catholicisme pour être sacré roi de France et de
Navarre. On se demande contre qui se sont battus les
soldats français et qui a détruit Tombouctou et massacré
ses habitants. En n'appelant pas le terrorisme islamiste
par son nom, Hollande trahit les militaires français qui
se battent sur le terrain contre les islamistes d'AQMI
(Al-Qaïda au Maghreb islamique) et du Mujao (Mouvement pour l'unicité et le jihad en Afrique de l'Ouest),
il trahit les otages français entre leurs mains, il trahit
les Maliens qui ont souffert sous leur férule et qui eux
le nomment sans hésitation ni ambiguïté, et il trahit les
musulmans qui savent bien ce qui nuit à leur religion et
à leur pays. Beaucoup de trahisons qu'aucune messe ne
peut légitimer.

« Mal nommer les choses, c'est ajouter au malheur du monde », disait Camus.

Dans tous les pays, le débat s'est ainsi fermé à force d'intimidations, de censure, d'autocensure et de précautions oratoires. D'ores et déjà, le débat sur l'islam a disparu des enceintes publiques. Pourtant l'islam doit être étudié, discuté, interpellé, critiqué éventuellement. Comment faire évoluer le statut de la femme, comment concilier islam et modernité, islam et démocratie, droits et devoirs du croyant et du citoyen, comment enseigner l'islam aux jeunes en quête d'identité, comment construire un « vivre-ensemble » entre musulmans et non-musulmans, ce sont des questions qui attendent des réponses depuis des siècles, et de plus en plus urgemment dans le monde moderne qui bouleverse bien des certitudes du passé. C'est dans ce débat ouvert et franc, sur ces questions précises, que nous trouverons les arguments pour dénoncer la fausseté de l'islamisme et le faire reculer. Nous le devons d'autant plus que l'islamisme affirme tirer sa légitimité de l'islam et en être le gardien loyal, et, par là, il s'arroge le droit de nous critiquer, nous condamner et nous tuer.

Mais connaître l'islamisme n'est pas suffisant — et on vient de voir combien il est difficile d'en appréhender les contenus et toutes les formes, qui ont tellement et tant de fois changé au cours du temps —, il faut aussi connaître les vecteurs qui le propagent.

1. Les courants religieux radicaux

Au départ, il y a des courants religieux issus des premiers schismes de l'islam qui professent un islam orthodoxe d'où sont sorties des tendances ultraorthodoxes, comme le wahhabisme saoudien, rameau ultraorthodoxe s'il en est, qui est sorti d'une branche très orthodoxe, le hanbalisme, lui-même né du sunnisme qui est le premier courant orthodoxe de l'islam. C'est de cette évolution vers toujours plus de fondamentalisme et de radicalisme qu'est né au xxᵉ siècle l'islamisme, mélange de religion, de politique et de révolution ; d'où aussi toutes ces appellations hybrides : islam politique, islam radical, république islamique, révolution islamique, etc.

Il faut dire que le xxᵉ siècle, avec une dépression économique mondiale sévère (la crise de 1929), deux guerres mondiales gigantesques et l'effondrement, sous le choc des colonisations occidentales, du dernier califat, le califat ottoman, colonne vertébrale de ce qui restait de l'empire musulman, était propice à toutes les haines, toutes les restructurations, toutes les radicalisations. Jamais siècle n'avait apporté autant de malheurs, occasionné autant de misères et fait autant de morts et de blessés. Les religieux y ont vu le signe que les temps avaient changé et qu'ils étaient interpellés à cet effet. Rappelons que le calife est à la fois chef d'État, chef spirituel, mais surtout le *représentant* du Prophète sur terre (en arabe : *khalif* = représentant, successeur). La disparition du califat et le démembrement du monde musulman, partagé entre les puissances coloniales européennes, ont livré l'islam à la déshérence et au jeu des féodalités. Dans l'esprit des islamistes, c'est un monde idéal qui s'est effondré par la faute des Occidentaux et l'impéritie des dirigeants musulmans.

Mais, en vérité, les islamistes sont versatiles et opportunistes, ils butinent à leur gré dans l'immense arbre de l'islam, prenant ceci à tel courant (sunnisme ou chiisme), cela à telle secte ou telle doctrine (wahhabisme, mouvements réformistes divers comme celui des ulémas algériens du cheikh Ben Badis...), ou à tel épisode glorieux de l'histoire des Arabes, ou encore à tel grand théologien ou érudit (anciens comme El-Boukhari, Ibn Taymiyya, Ibn Tumert, plus contemporains comme Djamal Eddine el-Afghani, Hassan el-Banna, Sayyid Qutb ou Saïd Ramadan, dont l'un des fils, Hani, dirige aujourd'hui le Centre islamique de Genève et l'autre, Tariq, est un islamologue réputé conseiller de plusieurs institutions nationales et internationales — ils sont également les petits-fils de Hassan el-Banna, ou Sayyid Abu al-Maududi, ou Youssef al-Qaradâwî, chef spirituel des Frères musulmans qui officie aujourd'hui à partir du Qatar et d'Al Jazeera, télévision phare pour le monde arabe et musulman...); ils puisent aussi chez les grands cheikhs d'Al-Azhar faisant autorité dans le *fiqh*, la jurisprudence islamique, et en cas de refus de ces maîtres (ce qu'ils font parfois, et c'est à leur honneur car refuser aux potentats arabes et aux islamistes est dangereux), ils font appel à des exégètes sans conscience ni qualifications qui n'hésitent pas à commettre des faux en écritures saintes pour les servir et se faire un nom dans le milieu jihadiste toujours à la recherche de nouveaux guides, de nouveaux héros. Les islamistes pratiquent une sorte de self-service opportuniste qui leur permet de s'adapter à toutes les situations. C'est ainsi que s'attaquer à des populations civiles, dont les femmes et les enfants, a été légitimé comme acte de guerre sainte, de jihad sacré, par des exégètes qui non seulement trahissent les enseignements explicites du Coran et du Prophète en la matière, mais recourent pour leur démonstration à des hadiths jugés apocryphes par tous les grands courants de l'islam, voire à des faux fabriqués pour la circonstance, sur l'idée : *Qui n'est pas avec nous est contre nous et contre Allah et doit être combattu et exterminé, ainsi que son engeance.* Ainsi l'avaient déclaré les islamistes algériens du FIS, et cela a été endossé par les autres islamistes. Et le pouvoir y a répondu de la même manière : *Qui n'est pas avec nous est contre nous et sera exterminé.*

L'islamisme d'aujourd'hui est une vaste nébuleuse dans laquelle il est difficile de se retrouver, même pour un spécialiste, et de voir les liens qui articulent ses différentes structures et quelle coordination existe entre les multiples organisations islamistes, celles-ci ne se définissant jamais comme islamistes mais comme islamiques et très souvent, voire toujours, ne faisant état d'aucun objectif politique dans leurs missions officielles. De plus, les structures formellement constituées se prolongent souvent dans des structures informelles. Ainsi, autour d'une institution islamique formelle classique, anodine, une mosquée par exemple, peuvent graviter plusieurs structures, religieuses, éducatives, commerciales, financières, les unes formellement constituées, les autres sans statut légal, chacune d'elles pouvant se prolonger dans d'autres structures, plus ou moins permanentes, plus ou moins formelles, voire secrètes, sans lien organique entre elles mais le tout constituant un corps vivant sans forme précise, parcouru cependant par le même influx nerveux et visant des objectifs précis. Au sein de la mouvance islamiste, les alliances entre les différents groupes se nouent et se dénouent sur un mot, un coup de téléphone. Ce faisant, elles changent de nom, de chef, de lieu, ce qui rend difficile toute traçabilité.

Par un tropisme propre au monde arabe qui tend à multiplier les structures religieuses pour montrer sa foi et son engagement (la bigoterie fait intrinsèquement partie de l'univers musulman), mais cela tient aussi à son organisation tribale, chaque tribu agissant pour son propre compte, et pour des raisons de sécurité, les réseaux sont souvent doublés par d'autres réseaux, actifs ou dormants, concurrents ou complémentaires. Le monde islamiste est mouvant et très réactif, il se bricole au jour le jour, il évolue sans cesse, au gré des circonstances, de la personnalité des dirigeants qui raisonnent en chefs de guerre, en commerçants, en éducateurs, en imams, en prédicateurs et exégètes. Il ne faut pas oublier que les islamistes se consacrent à temps plein et prioritairement à leurs activités militantes au sein des structures auxquelles ils sont affiliés. La religion et le jihad passent avant tout. À cette dose, ils sont pris dans une sorte d'envoûtement macabre qui les rend sourds au monde. De là peut-être vient l'appellation de « fous d'Allah » avec laquelle on les désigne souvent.

Il arrive par exemple qu'il y ait plusieurs mosquées dans un quartier alors qu'une seule suffirait aux besoins de la population locale. Il n'y a pas d'explication rationnelle à cette redondance, elle est le résultat de la compétition historique entre différents courants religieux, chaque tradition cultuelle voulant que sa mosquée porte le nom d'un imam qui appartient à sa doctrine, comme elle peut résulter d'une compétition entre les différentes composantes de la population locale, chacune voulant un lieu de rassemblement et de prière qui lui soit propre. Dans les milieux de l'émigration, où la population est naturellement hétérogène (origines nationales, ethniques, religieuses différentes), la compétition intègre des critères tenant compte aussi de la législation du pays d'accueil et du rapport de force au sein de la communauté, entre les simples fidèles qui vont à la mosquée pour prier et discuter des affaires du quartier et les salafistes jihadistes pour qui la mosquée est un quartier général commode et innocent à partir duquel ils organisent les activités de leurs militants. Autour de la mosquée se déroulent souvent d'âpres luttes de leadership. Localement, la mosquée est un centre de pouvoir à multiples fonctions — religieuses, politiques, économiques, culturelles, éducatives —, qui se pose en interlocuteur des pouvoirs publics et en monopole en matière de captation de financements internes ou étrangers.

Au centre de la mouvance islamiste mondiale, nous trouvons l'association panislamique des Frères musulmans, dont le siège historique est en Égypte, où elle est née en 1928. Cette organisation tentaculaire compte des millions d'adhérents, en Égypte, dans les pays musulmans et dans le monde. Il semble que le tout est coordonné de Londres par la Muslim Association of Britain qui s'appuie pour ses finances sur la Bank al-Taqwa (installée en Suisse, aux Bahamas, au Liechtenstein, etc.) et bien d'autres banques arabes et internationales dont les capitaux viennent principalement d'Arabie Saoudite, du Qatar, du Koweït, du Bahreïn, des Émirats arabes unis, comme l'ont montré de nombreuses investigations de journalistes ou d'experts de l'islamisme et du terrorisme.

Les mesures restrictives récentes (2012 et 2013) prises par le gouvernement de la Grande-Bretagne à l'encontre des islamistes, qui se sont traduites par des expulsions de leaders islamistes charismatiques et un renforcement des dispositifs de contrôle des mouvements de capitaux, pourraient changer la donne. Mais cela n'affectera que peu et momentanément l'organisation générale des Frères musulmans, leur réactivité et leur mobilité les mettent très au-dessus des contingences réglementaires. De plus, le système financier et bancaire auquel recourt l'organisation offre toutes les commodités et les garanties de secret nécessaires à tous les opérateurs du monde quelles que soient leurs activités.

En 1978, dans la foulée des accords de Camp David qui consacraient la paix entre l'Égypte et Israël et définissaient un cadre de recherche de la paix au Proche-Orient, les Frères musulmans avaient officiellement renoncé au jihad armé, sauf en Palestine, mais la plupart des groupes islamistes jihadistes existant dans le monde se réclament plus ou moins de leur enseignement et bénéficient des mêmes financements. L'absence de lien organique ne prouve rien et nous savons que l'une des devises des islamistes jihadistes est : « la guerre est ruse » (en arabe : *el harb khidâ'*).

Le président Sadate a été assassiné en 1981 par un groupe islamiste jihadiste nommé Al-Gama'a al-Islamiyya, qui se réclamait des Frères musulmans, c'était la preuve que l'association avait simplement déplacé sa branche armée dans une structure parallèle clandestine, créée à cet effet. Les liens de la pieuvre Al-Qaïda avec les Frères musulmans sont également connus, les mêmes hommes, les mêmes idées, les mêmes réseaux les lient de mille façons. En avril 2013, le groupe jihadiste Al-Nosra, qui se bat en première ligne contre le régime syrien d'El-Assad, a officiellement annoncé son allégeance à Al-Qaïda.

On se reportera aux écrits des spécialistes du terrorisme islamiste et d'Al-Qaïda pour avoir un aperçu de ces connexions et de leur incroyable enchevêtrement.

Dans presque tous les pays musulmans, il existe un parti islamiste légalement constitué se réclamant des Frères musulmans ou influencé par lui (le Hamas palestinien, le MSP algérien [anciennement appelé Hamas], l'Ennadha en Tunisie, le PJD au Maroc qui n'est pas clairement affilié aux Frères musulmans mais qui partage leurs idées…). On trouve aussi des partis islamistes se réclamant d'autres obédiences mais qui, le cas échéant, notamment dans les compétitions électorales, font volontiers alliance avec les Frères musulmans.

Les Frères musulmans animent ou contrôlent par ailleurs d'innombrables organisations religieuses, politiques, culturelles, éducatives, sociales, aux quatre coins de la planète. Citons rapidement : le Centre islamique de Genève, le Islamische Gemeinschaft in Deutschland, la Ligue islamique mondiale, le Conseil islamique d'Europe, l'Union des organisations islamiques d'Europe (UOIE), l'Union des organisations islamiques de France (UOIF), le Conseil européen de la fatwa basé à Dublin... La liste est longue et à vrai dire n'est pas connue en l'état actuel de la connaissance de la nébuleuse. À chaque nouvelle investigation, on découvre de nouvelles ramifications, de nouvelles pistes.

Il existe, depuis 1933, une branche féminine des Frères musulmans, aussi tentaculaire : les Sœurs musulmanes. Elles sont très actives dans le recrutement des femmes, l'éducation des enfants, la collecte (argent, vêtements, produits alimentaires), l'administration, les premiers secours et les soins lors des catastrophes, mais elles ont aussi d'autres missions dont nous savons peu. Dans les campagnes électorales, elles sont d'une efficacité redoutable, inlassablement elles visitent les femmes où qu'elles soient, à domicile, au hammam, dans les cimetières, les marchés, les foyers, les hôpitaux, les usines et les administrations, et les accompagnent jusqu'aux bureaux de vote.

Dans le domaine économique et financier, les Frères musulmans ont déployé d'immenses stratégies qui font qu'aujourd'hui ils sont au cœur de la finance islamique internationale, en joint-venture avec les princes et les émirs du Golfe et les richissimes hommes d'affaires arabes, à travers des banques, des sociétés d'investissement, des sociétés de bourse, et de plus en plus présents dans le commerce (le commerce halal, s'agissant de l'alimentaire), l'hôtellerie, l'industrie, principalement les industries de pointe. L'hégémonie religieuse suppose à la base une hégémonie financière commerciale et industrielle, ce à quoi les Frères musulmans et les princes arabes qui s'inscrivent dans leur stratégie œuvrent avec beaucoup de persévérance et de talent. Les fonds souverains d'Arabie Saoudite et du Qatar sont des modèles d'efficacité et de performance.

Les Frères musulmans ont également des ambitions scientifiques fortes. On note que beaucoup parmi leurs élites ont fait des études très poussées, dans les meilleures universités du monde, dans les domaines de pointe : informatique, nucléaire, mathématiques, médecine, recherche spatiale. Cela est d'autant plus remarquable que leurs pays ne disposent pas des structures professionnelles idoines pour les accueillir et les utiliser au mieux de leurs compétences. Cette avidité pour la science obéit à des considérations diverses : religieuses (« *Cherchez la science, même en Chine* », recommandait un hadith du Prophète), démentir l'image d'ignorance et de brutalité qui colle aux musulmans, rappeler que les musulmans ont été des créateurs de science et qu'ils sont porteurs d'un avenir fait de progrès et de lumières, donner les moyens de la puissance aux États qui émergeraient de la révolution islamiste. Les Frères musulmans octroient des bourses souvent substantielles aux jeunes qui montrent des aptitudes fortes pour les études supérieures et les suivent d'un bout à l'autre de leur cursus pour les affermir dans la foi et la pratique religieuse. La démarche de l'Iran qui entend se munir de moyens nucléaires civils et sans doute à terme militaires obéit à ces mêmes considérations.

Il y a là, dans cette évolution, un processus remarquable de transformation du monde musulman, la fameuse Nahda qui fait rêver tous les musulmans depuis la fin de l'âge d'or. Il se dote d'une classe moyenne de haut niveau, dans toutes les disciplines et dans le domaine scientifique en particulier, qui lui a toujours fait défaut, ce qui explique qu'une révolution intellectuelle semblable aux Lumières en Europe n'a pas été possible dans l'univers musulman. La présence de cette classe sociale est une condition nécessaire pour produire les Lumières mais pas suffisante, il faudrait aussi qu'elle puisse s'autonomiser et entrer dans un processus de révision fondamentale de la pensée musulmane. Le fait est que deux démarches sont en cours : une démarche, très timide, vers les Lumières modernes au sens occidental (universel ?) du terme et une démarche plus volontariste vers les Lumières islamiques. Elles pourraient converger et se fondre l'une dans l'autre, mais cela ne semble pas possible, un principe d'antinomie que ni les uns ni les autres ne veulent ou ne peuvent lever est à l'œuvre. On peut dire que, relativement à cette question, il se produit en ce moment un schisme colossal au sein du monde musulman, une partie rejoignant les valeurs universelles, l'autre tentant de réinventer et ré-enchanter les valeurs islamiques de l'âge d'or. Aucune ne semble pouvoir produire une pensée entièrement nouvelle, indépendante et des voies occidentales et des voies islamiques. C'est cela qui a fait dire qu'au fond l'islamisme était d'abord une réaction contre les musulmans, ceux en particulier qui, depuis les colonisations, s'éloignent peu à peu de l'islam et rejoignent les valeurs universelles, et ceux qui recherchent un islam moderne qui, selon les islamistes, finirait par se heurter à l'orthodoxie et par s'en affranchir.

2. Les États musulmans

Tous les États musulmans ont, à un moment ou à un autre, été des vecteurs de propagation de l'islamisme. Ils l'ont fait en connaissance de cause, pour faire barrage à la montée de l'idéologie communiste, venue de Moscou, qui au final a quand même pu prendre pied et s'installer dans plusieurs pays musulmans, ou pour briser la montée des revendications démocratiques inspirées par l'Occident, dont les idées ont pu également pénétrer la société et accrocher certains milieux (femmes, professions libérales, intellectuels, syndicats, étudiants). Les États musulmans ont fait de l'islam la « religion d'État » et ainsi l'ont géré comme un programme de propagande de masse mis en œuvre par les apparatchiks du parti et la police politique.

La porte a été ouverte aux prédicateurs islamistes qui très vite ont formé des armées de militants, aussitôt lancées à l'assaut des communistes et des démocrates. Cette politique a été pratiquée d'un bout à l'autre du monde musulman. Et plus la force mobilisatrice du nationalisme qui avait mené aux indépendances faiblissait, plus les pressions internationales pour une démocratisation de ces pays augmentaient, et plus le recours à la religion dans sa version la plus conservatrice et la plus xénophobe était renforcé. Dans tous ces pays, il y a eu à un moment ou à un autre une opération d'expulsion des étrangers, chacun l'habillant d'un discours patriotique propre; «algérianiser», «marocaniser», «égyptianiser», «arabiser» ont été des mots d'ordre à la mode.

Au final, les régimes en place ont tenu et perduré à l'ombre de l'islam qu'ils instrumentalisaient et de l'islamisme qu'ils combattaient d'une main et encourageaient de l'autre. Dans cette lutte sourde et violente, les démocrates et les communistes ont été laminés, beaucoup ont été assassinés ou se sont exilés, ce qui a renforcé d'autant l'emprise des islamistes sur la société et facilité la politique d'entrisme qu'ils mettaient en œuvre à travers des partis islamistes modérés créés à cet effet pour séduire les classes moyennes. Le plan se retournait contre ceux qui l'avaient conçu, les islamistes leur échappaient, ils jouaient à leur propre jeu et ils savaient y faire.

Nous l'avons vu en Algérie, lorsqu'à la mort du président Boumediene en 1978, décès qui a signé la fin du nationalisme et de la dictature socialiste prolétarienne qu'il avait inspirée, le successeur dut abandonner le discours nationaliste, épuisé par les surenchères et les échecs du modèle de développement socialiste, mais aussi laisser entrer les prédicateurs islamistes venus du Proche-Orient et leur ouvrir les vannes du commerce, qui pour les islamistes est la seule activité économique digne d'un musulman car c'est celle que le Prophète exerçait, cela pour leur permettre de développer les activités caritatives avec lesquelles ils contrôlent les populations pauvres et déshéritées. Cet *Infitah*, autrement dit l'abandon de l'option de développement socialiste au profit de l'économie de bazar voulue par les islamistes, avait été mis en œuvre, de la même façon, par Sadate après la mort de Nasser et la fin du nassérisme. Il en fut de même ailleurs, en Tunisie, au Maroc. En Syrie, en Irak, en Libye, où les régimes étaient forts, on lâcha un peu de lest, on laissa la corruption et le marché noir se diffuser dans les classes moyennes et populaires sensibles au discours des islamistes.

On freina les évolutions sociales modernes et les revendications démocratiques qu'elles suscitent en injectant, à plus ou moins fortes doses, de l'islamisme et du bazar, qui crée des illusions de prospérité et de liberté. Partout dans le monde musulman, on assista dans les années 1970-1980 à un boom économique sans valeur ajoutée aucune induit par l'abandon des politiques publiques, forcément dispendieuses mais à terme génératrices de progrès, et la libéralisation sauvage de l'économie nationale. L'existence dans plusieurs pays musulmans d'une rente (pétrole, mines, tourisme) permettait de faire fonctionner une telle économie sans trop de difficulté car le couple islamisme-bazar réduit la demande sociale à sa plus simple expression, elle est donc facile à satisfaire.

Ainsi se met en place une spirale : la misère alimente l'islamisme qui accroît la misère, et ainsi de suite.

3. Les élites intellectuelles et les universités

Le cas des intellectuels dans le monde arabe mérite un ouvrage à lui seul.

L'étude de l'islamisme montre que ce courant de pensée n'est pas le phénomène vulgaire et brutal que nous présentent l'actualité et les médias qui la rapportent avec tout l'effet de grossissement voulu. À la base œuvrent des questionnements graves et des considérations philosophiques complexes, les mêmes d'ailleurs que ceux qui ont mené jadis aux schismes au sein de la chrétienté. Dans toutes les religions, de tels questionnements sont apparus à un moment ou à un autre et ont conduit à des réinterprétations plus ou moins fondamentales du dogme dans ses vérités et dans ses pratiques. Au départ, ce sont des intellectuels et des érudits qui ont amorcé ces débats et en ont formalisé les conclusions, dont certaines ont servi de cadre méthodologique et idéologique à toutes sortes de mouvements, les uns intégristes, les autres libéraux.

Ces questionnements existent toujours, plus forts sans doute qu'hier, et les mêmes élites sont à l'œuvre. Les frères Hani et Tariq Ramadan, que nous avons eu l'occasion de citer (rappelons qu'ils sont les petits-fils de Hassan el-Banna, fondateur de l'association des Frères musulmans), travaillent à l'approfondissement et à la propagation de la pensée islamique sous l'angle de la philosophie qui a inspiré leur grand-père, et nous savons comme ils sont puissamment engagés dans ce travail; d'autres œuvrent au contraire à «*libérer l'islam de l'islamisme*», selon l'expression d'Abdelwahab Meddeb, éminent islamologue franco-tunisien, ce que fait également Malek Chebel, un islamologue franco-algérien fort connu et très engagé dans la promotion d'un «*islam des Lumières*», un «*islam sans complexe*», selon ses expressions; d'autres œuvrent à libérer la société de l'emprise de l'islamisme, et même à séparer l'État et la religion. Le philosophe français Abdennour Bidar va plus loin, il s'enhardit à plaider pour un existentialisme musulman et croit même que tel est le message du Coran : le vrai musulman est celui qui sait s'affranchir d'Allah. Quant à Mohammed Arkoun, franco-algérien, professeur émérite de la pensée islamique à la Sorbonne, il plaide pour un islam repensé dans le monde contemporain; on peut dire de lui qu'il a inauguré ce que lui-même a nommé «la critique de la raison islamique». Il était aussi un fervent défenseur de la laïcité dans le monde musulman.

Mais ce sont là des exceptions, les intellectuels musulmans dans leur immense majorité se tiennent dans une attitude de retrait assez incompréhensible, mélange de peur, d'indifférence, de soumission.

Il ne semble pas que le temps de l'émancipation soit venu pour ces élites, dans leurs pays elles sont prisonnières de l'ordre traditionnel qui se resserre sur elles, et dans l'émigration, où pourtant elles jouissent d'une liberté certaine, elles se confinent dans la marginalité, volontairement peut-être ou parce que la société ne les intègre pas ou le fait seulement par le biais économique.

Le problème est que leur silence assourdissant est devenu préjudiciable, il apparaît comme une adhésion et un soutien aux thèses islamistes, selon le principe de « qui ne dit rien consent ». En vérité, beaucoup n'arrivent tout simplement pas à se déterminer, ils n'adhèrent pas aux thèses des islamistes mais ils comprennent leur révolte contre l'Occident et les dictatures qui gouvernent leurs pays, et ils adhèrent aux valeurs de l'Occident mais lui reprochent le « deux poids, deux mesures » et l'ambiguïté qu'il pratique à l'encontre des peuples arabes, musulmans et africains, soutenant une fois les dictatures, une fois les islamistes, tout en prêchant la démocratie et les droits de l'homme.

D'un certain point de vue, le silence des intellectuels est le vecteur le plus fort de l'islamisme. Ils portent en effet une responsabilité lourde : en se dérobant à leur fonction sociale qui est d'expliciter à leur société les enjeux auxquels elle est confrontée, ils livrent la population et notamment les franges les plus fragiles, les jeunes, au chant de l'islamisme et du bazar ou à la corruption et au despotisme des pouvoirs arabes.

Par là, et pour d'autres raisons tenant à la dégradation générale des structures de formation, les universités, habituellement très critiques à l'égard de l'ordre traditionnel, deviennent des foyers actifs du conservatisme et de l'islamisme. Dans les pays arabes, les universités sont des lieux fragiles, sans traditions et mal encadrées, elles sont des cibles privilégiées et faciles pour tous les manipulateurs, aujourd'hui les prédicateurs islamistes, car c'est dans les universités où la mixité est forte que les islamistes trouvent les meilleurs arguments pour dénoncer la dépravation amenée par l'occidentalisation des mœurs. C'est toujours sur cet aspect de la corruption des mœurs et de la morale islamique qu'ils investissent les différents milieux et les minent de l'intérieur. C'est ce que font les islamistes radicaux tunisiens et égyptiens : depuis le début du «printemps arabe», ils font le siège des universités, s'attaquant principalement et sauvagement aux filles non voilées. En semant la terreur, ils visent à empêcher que l'université devienne un foyer de revendication de la démocratie et de contestation de l'islamisme, qui de là gagnerait l'ensemble du pays.

4. *Les médias*

Cela fait longtemps que les islamistes ont compris l'intérêt de maîtriser ce secteur. Très tôt, ils se sont investis dans la diffusion de leurs idées, leurs discours et leurs actions. À partir des années 1920 commencent à pulluler dans tout le monde arabe des journaux créés par des cercles d'intellectuels et des organisations religieuses se situant dans la mouvance nationaliste ; la plupart de ces journaux ont été influencés par les idées révolutionnaires du mufti de Jérusalem, Hadj Amin el-Husseini, et sa geste mouvementée contre la puissance mandataire (Grande-Bretagne) et contre le mouvement sioniste qui prenait pied dans la région, idées qui allaient nourrir la pensée d'un jeune instituteur d'Ismaïlia, l'Égyptien Hassan el-Banna, futur fondateur des Frères musulmans, et se propager dans l'ensemble du monde musulman. Ce succès tient en grande partie à la multiplication des publications périodiques qui très vite vont installer une habitude nouvelle dans le monde arabe alors occupé, isolé, coupé du monde, celle du média écrit périodique, qui, outre les informations qu'il fournit, entretient une sorte de dialogue militant et fraternel entre les grandes figures du monde arabe et le public. En fait, il exerçait sur les gens l'effet qu'exerce le tract sur les populations en temps de crise ou de guerre.

Les islamistes l'ont compris et ont accordé la plus grande attention à ce secteur, qu'ils maîtrisent parfaitement. Ils disposent en plus d'un formidable réseau de maisons d'édition qui leur permet de produire des quantités colossales de livres, de manuels et de corans et de les distribuer quasi gratuitement dans l'ensemble du monde musulman, jusque dans les plus petits villages. Dans le contexte des pays musulmans de l'époque, sous domination coloniale, la seule vue de ces journaux et de ces livres, entrés clandestinement dans le pays pour la plupart, provoquait une véritable exaltation chez les lecteurs. Le fait qu'ils étaient écrits en arabe, la langue sacrée, et qu'ils parlaient de personnalités célèbres mythifiées par la *vox populi* opérait en eux une transformation remarquable : ils découvraient que l'islam n'était pas seulement leur religion et leur culture, il était un instrument de libération et de promotion extraordinaire. C'était une révélation, ils n'avaient jamais connu que l'islam de soumission et de récitation que leur enseignaient les féodaux qui les avaient opprimés au cours des siècles. La dimension jihadiste de ce nouvel islam exaltait ces valeurs guerrières endormies en eux depuis longtemps qui avaient jadis porté l'islam d'un bout à l'autre du monde; dans leur cœur, l'islamisme comme vecteur d'illumination, de libération et de puissance prenait corps.

Avec la radio, les cassettes audio et vidéo, puis la télévision et Internet, les islamistes disposent aujourd'hui de l'ensemble des moyens pour faire circuler leurs idées et leurs mots d'ordre. L'efficacité d'une télévision comme Al Jazeera, fortement influencée par les islamistes, n'est plus à souligner. Dans le domaine de la prédication, ils disposent de nombreuses stations de radio et de télévision spécialisées qui connaissent des audiences extrêmement élevées d'un bout à l'autre de l'année.

5. La « rue arabe »

La « rue arabe » a largement acquis sa place de média spécial. Son efficacité est redoutable et les islamistes savent en user en maîtres, beaucoup mieux que ne le faisaient les régimes de dictature précédents lorsqu'ils voulaient envoyer un message au monde occidental. Ils arrivaient à rassembler des foules considérables mais des foules amorphes, encadrées par des haies d'apparatchiks et de policiers peu discrets. Au contraire, la « rue arabe » livrée aux islamistes a un côté éruptif et spontané très convaincant. Ces manifestations durant lesquelles on brûle des drapeaux et on assiège des ambassades occidentales produisent toujours leur effet : elles provoquent toutes les réactions attendues, d'autant que les télévisions internationales s'y intéressent de près et les passent en boucle. Ensuite Internet, la blogosphère et les réseaux sociaux s'en emparent et c'est le déluge. La « rue arabe » est devenue la « rue islamiste ». C'est un changement fondamental, c'est au nom de l'islam que parlent dorénavant les peuples arabes et non plus au nom du nationalisme et de la lutte contre l'impérialisme.

L'affaire des caricatures de Mahomet, publiées par le journal danois *Jyllands-Posten*, est venue changer la donne. Elle a mis en évidence deux choses essentielles.

La première est que la « rue islamiste » n'avait en fait rien de si spontané ; comme avant sous le règne des anciens régimes, elle obéissait à des injonctions précises venant d'un centre de commandement. En l'occurrence, la « rue arabe » n'a réagi que plusieurs semaines après la publication des caricatures, comme si elle attendait un ordre qui tardait à venir. Cette affaire, comme nulle autre, a été émaillée de rebondissements, de manifestations aux quatre coins du monde, de procès judiciaires, de crises diplomatiques, de boycotts et de guerres commerciales internationales, et a montré à quel point étaient grandes les capacités des islamistes à profiter des situations qui s'offrent à eux pour concevoir des scénarios catastrophes et imposer leur jeu au monde entier. C'est un message très fort qui a été envoyé au monde : « L'islam est sacré, personne ne peut le critiquer impunément. »

La seconde est que, pour la première fois, un phénomène de ras-le-bol est apparu en Europe devant les menaces islamistes. Plusieurs journaux européens, en France, au Danemark, en Suède, en Allemagne, en

Espagne (*Charlie Hebdo, Brussels Journal, Magazinet, Die Welt, Der Tagesspiegel, Berliner Zeitung*, etc.), ont diffusé ces mêmes caricatures et d'autres encore pour manifester leur soutien au *Jyllands-Posten* et pour affirmer leur engagement à défendre la liberté d'expression mise à mal par les islamistes.

Nonobstant, la «rue islamiste» s'est imposée en occupant quasi quotidiennement les télévisions et Internet, elle a forgé une opinion publique islamiste partout dans le monde et pas seulement dans les pays arabes et musulmans, qui entend se dresser et dire sa colère chaque fois que l'islam est critiqué où que ce soit et par qui que ce soit.

6. L'émigration,
ou l'échec des politiques d'intégration

Comme le développement de l'islamisme dans les pays musulmans est quelque part le résultat des politiques calamiteuses des régimes qui gouvernent ces pays, on peut penser que le développement de l'islamisme dans le monde occidental est le résultat de politiques inadéquates de l'émigration et de l'intégration.

On relève que, dans la plupart des cas, l'appel à la main-d'œuvre étrangère (du Maghreb et d'Afrique noire) avait pour but de faire l'appoint de la main-d'œuvre locale mais aussi, voire surtout, d'exercer une pression à la baisse sur les salaires et les avantages sociaux afin de maintenir la compétitivité du pays et des entreprises mise à mal par des politiques sociales très généreuses et des dépenses publiques excessives, financées par la dette et de plus en plus par l'appauvrissement de pays du tiers-monde. Les politiques d'intégration n'avaient dans ces conditions aucune chance de réussir, les émigrés devaient rester la variable d'ajustement d'économies qui n'avaient plus d'autres flexibilités (structurelles, monétaires, budgétaires, fiscales ou autres). Si les premiers émigrés ont accepté cette situation, par peur d'être mis au chômage ou renvoyés dans leurs pays et de perdre leurs maigres droits sociaux, leurs enfants nés dans ces pays ne pouvaient l'accepter, encore moins leurs petits-enfants. Des politiques correctives (ascenseur social, discrimination positive, formation, etc.) ont quelque peu amélioré la situation des nouvelles générations mais n'ont pas supprimé l'humiliation que les enfants ressentent de voir leurs parents exploités et rabaissés à ce point. Les idéologues islamistes l'ont bien compris, l'humiliation est un levier puissant qu'il est facile de manipuler. En leur offrant de la religion et une autre vision des rapports politiques dans le monde, ils canalisent leur colère vers des objectifs transcendants exaltants et leur font accepter jusqu'à l'idée de mourir en martyrs.

La crise économique, la montée des égoïsmes et de l'extrême droite ont accéléré le processus, des fiefs islamistes se constituent, ce qui facilite le recrutement et la sécurisation du groupe, et tout naturellement se lient aux partis islamistes les plus en vue, ceux qui ont le discours le plus revendicatif étant les plus écoutés.

C'est la conjonction de ces six vecteurs qui a permis à l'islamisme radical de se développer si vite au sein des populations arabes. Celles-ci étaient allées de mirage en mirage, de désillusion en désillusion, ni l'indépendance de leur pays, ni les politiques socialistes ou capitalistes mises en place par leurs gouvernements pour développer leurs pays, ni l'émigration et l'intégration dans les pays riches et démocratiques ne leur ont apporté ce minimum : une vie décente et digne. L'idée selon laquelle « les musulmans ne demandent que du pain » était assez répandue chez les féodaux arabes comme chez les Européens.

Par son côté systématique et révolutionnaire, par le recours aux enseignements les plus radicaux de l'islam, par sa dénonciation morale et politique de l'Occident et de ses valeurs, par ses conceptions libérales de l'économie et son conservatisme social, par ses promesses édéniques et son incessante exaltation du sacrifice et du martyre, l'islamisme avait de quoi séduire toutes les couches sociales, les pauvres et les riches, les intellectuels et les ignorants, les libéraux et les conservateurs, les bourgeois et les révolutionnaires.

V

Le monde arabe : Un monde virtuel à la recherche d'une identité et d'un avenir

Le monde arabe est une fiction dont nul ne sait qui l'a écrite, quand et pourquoi. Il est en effet une étrangeté dans l'ensemble musulman et cela à plus d'un titre.

1. Une identité qui en efface d'autres

Les peuples formant le monde dit « arabe » sont les peuples, conquis par les armées arabes lors de l'expansion de l'islam, qui ont totalement épousé l'identité de leurs conquérants. Au départ, ils ont pris d'eux la religion (mais pas tous, certains ont gardé la leur, païenne, juive, chrétienne), la langue (mais seulement comme langue liturgique et langue de cour, et parfois seulement l'alphabet), ils ont également pris d'eux quelques coutumes, puis très vite ils ont endossé leur histoire et en ont fait la source de leur nouvelle identité, et comme on jette de vieux habits ils ont rejeté leurs propres identités, leurs langues, leurs traditions, leur histoire multimillénaire, et se sont fièrement habillés de leur nouvel et magnifique uniforme : l'identité arabe. À cette époque, le monde arabe naissant se prévalait du divin privilège d'avoir enfanté le prophète Mohammed, choisi entre tous par Allah pour apporter le Coran à l'humanité.

C'est un cas unique dans les annales des conquêtes tout au long de l'histoire humaine, sauf erreur il n'y a pas d'autre exemple de fusion aussi totale, jusqu'à disparaître soi-même. D'un bout à l'autre de ce monde, de la Mauritanie à l'Irak, en passant par l'Égypte, la Syrie, le Yémen, les peuples de ces régions se déclarent arabes et insistent sur la pureté de leur origine arabe. Inutile de leur rappeler qu'ils avaient une existence auparavant, qu'ils appartenaient à des empires puissants et des civilisations anciennes brillantes, qu'eux-mêmes ont fondé des empires et des civilisations et conçu des religions remarquables, rien n'y fait, ils se revendiquent arabes et renient leur passé et leurs origines. Celui qui leur en parle est regardé avec hauteur et mépris, s'il est des leurs il sera traité de renégat, si c'est un étranger il sera accusé d'ignorance, de racisme anti-arabe, et chassé. Le cas le plus criant est l'Égypte, où les Égyptiens ont quotidiennement sous les yeux les plus extraordinaires vestiges du monde, qui témoignent d'une antique et brillante civilisation, mais pas un ne se dit descendant du peuple qui a produit cette civilisation, tous se disent arabes, venus d'Arabie. On se demande où sont alors passés les Égyptiens de l'Égypte antique.

La raison est peut-être là : appartenir au peuple arabe, se dire arabe, c'était à cette époque glorieuse de l'expansion de l'islam appartenir à l'élite, à la royauté, au premier collège des premiers musulmans du monde. Dans

tous les pays « arabes », encore aujourd'hui, des personnalités, des tribus et des régions entières se prétendent
descendantes du Prophète, de ses compagnons, de sa
tribu, de la tribu de tel général arabe ayant conduit ses
fiers cavaliers à la conquête de l'Afrique du Nord et du
Moyen-Orient.

Au Maghreb, elles se donnent le titre glorieux de « ché-
rif », « chôrafa », « chorfa » (noble, de la lignée du Prophète),
descendantes directes du Prophète. Au Machrek, elles se
donnent le titre d'« achrâf », descendantes des nobles des
grandes dynasties omeyyades, abbassides, alides.

On se rapportera au livre fort documenté de Bernard
Lewis, *The Multiple Identities of the Middle East* (éditions
Weifendel & Nicholson, Londres, 1999). On y découvre
ce que l'identité arabe dans cette région complexe du
monde, mais connue seulement à travers des stéréo-
types peu convaincants, cache de peuples différents,
d'identités diverses, de langues, de cultures, de visions
du monde. En Algérie, c'est tout un monde avec ses multiples identités, kabyle, chaoui, touarègue, bambara,
chleuh, koulougli, mozabite, etc., qui est enfoui sous
l'identité arabe, normée par le nationalisme panarabe
et l'islamisme. Mais ainsi est l'histoire de tous les pays
gouvernés par des pouvoirs dynastiques autoritaires,
ils inventent une identité nationale fondée sur l'ethnie
dominante et forcent les autres peuples à s'y inscrire
quitte à les réduire (URSS, Chine, ex-Yougoslavie, etc.).

On lira aussi avec intérêt le livre de Jean-Paul Oddos,
*Isaac de Lapeyrère (1596-1676), un intellectuel sur les
routes du monde* (éditions Honoré Champion, 2012),
consacré à Isaac de Lapeyrère, diplomate français, juriste

et fin lettré, qui en son temps fit scandale en publiant
un livre, ayant mystérieusement disparu depuis, sur
ordre du Vatican sans doute, titré *Prae Adamitae*, dans
lequel il disait cette chose simple, et si évidente pour
nous, qu'Adam n'était pas le premier des êtres humains
comme le prétend la Bible mais seulement le père des
Juifs, et que les païens, les *gentils*, existaient avant lui
et qu'ils avaient formé des civilisations très anciennes
dont certaines furent brillantes, savantes et prospères.
Isaac de Lapeyrère fut pourchassé, emprisonné, et fail-
lit connaître un sort funeste. Les *préadamites*, ainsi
appelait-on ceux qui croyaient à l'existence d'une humanité avant Adam, ont longtemps tenu secrète leur conviction. Un demi-siècle plus tôt, l'Italien Giordano Bruno
avait été purement et simplement brûlé pour avoir dit
que l'homme était parent du singe. Aujourd'hui encore,
en maintes régions du monde « arabe », dire que les
peuples « arabes » existaient avant l'islam et les Arabes,
qu'ils avaient fondé des civilisations brillantes (Baby-
lone, Ur, Numidie, Égypte antique, etc.), c'est proférer un
blasphème passible pour le moins de critiques violentes.
Pour eux, ces peuples païens étaient des êtres primitifs,
des créatures *des ténèbres et de l'ignorance* (en arabe : *al
djahiliyya*) sous le contrôle d'*Ibliss* (Satan), ils ont disparu avant l'islam et ont été remplacés par les Arabes,
élus par Allah.

Le plus étonnant est que même les Occidentaux
ont adhéré à cette fiction d'un monde « arabe » peu-
plé d'Arabes. Ce n'est que lors des colonisations qu'ils
découvrirent que les peuples dits arabes étaient en réalité une mosaïque de peuples très différents et que le mot

« arabe », avec lequel ils les désignaient et avec lequel ces peuples se désignaient eux-mêmes, renvoyait à un autre mot, un marqueur identitaire très puissant : le mot « musulman ». Au départ, quand l'islam était cantonné dans la seule péninsule arabique, les mots « musulman » et « arabe » étaient synonymes, ils finirent par se confondre, durant toute la période où les Arabes conduisaient eux-mêmes la conquête. Tout peuple conquis par les Arabes devenait arabe. Quand ils perdirent le leadership et que la conquête fut portée par d'autres peuples, les Mongols, les Ottomans, les Perses, l'amalgame ne fut plus répété, mais pour les pays conquis initialement par les Arabes, la confusion était faite et consacrée.

Il est toujours difficile, voire impossible, de revenir sur une définition, on continue ainsi à désigner les *Amérindiens* par l'ethnonyme *Indiens* alors que nous savons, et depuis le début de la colonisation de l'Amérique, que le continent découvert par Christophe Colomb n'était pas les Indes.

Le cas des « Arabes » est d'autant plus étrange que jamais les conquérants arabes n'ont imposé à quiconque de se fondre en eux, sauf dans le domaine religieux. Partout ailleurs, les peuples conquis par les armées arabes et convertis à l'islam sont restés eux-mêmes. Les Perses, les Turcs, les Kurdes, les Mongols, les Indiens, les Africains, les Chinois, les Russes, les Indonésiens, les Philippins, les Malais ont pris des conquérants arabes leur religion, un peu de leur langue pour les besoins de la prière, un peu de leurs coutumes, mais ils n'ont jamais cessé d'être eux-mêmes, au contraire, ils se flattaient de leurs origines et de leur passé, leur adhésion n'a jamais été une soumission aux Arabes, une conversion à l'arabité, mais seulement une conversion à l'islam. Ils ont d'ailleurs très vite supplanté les Arabes dans l'expansion de l'islam et le gouvernement du monde musulman en formation.

Ce n'est qu'au début du XXᵉ siècle, alors qu'ils étaient sous domination coloniale européenne, que dans les pays dits arabes sont apparues les premières tentatives de recouvrement des identités premières, berbère et africaine en Afrique du Nord, syrienne, égyptienne, irakienne au Moyen-Orient. Ceci est peut-être la conséquence du nationalisme naissant dans le monde arabe qui se montrait trop exclusif et autoritaire pour permettre d'exprimer autre chose que l'identité arabe magnifiée par l'islam, rejetant les identités locales comme des scories païennes, voire des créations du colonialisme pour servir ses politiques « diviser pour régner », « aliéner pour exploiter », « effacer pour assimiler ».

En Algérie, pour des raisons qu'il serait trop long d'expliquer ici, le mouvement nationaliste indépendantiste né entre les deux guerres mondiales s'est très tôt implanté en Kabylie, une région berbère rebelle et fière. Par conséquent, dans les rangs des partis nationalistes, les Berbères ont pu apparaître comme majoritaires et quelque peu hégémoniques. Et dangereux à terme car les Kabyles pouvaient à l'indépendance s'avérer un facteur de division de l'unité nationale, voire prendre le pouvoir. Ainsi est apparu un clivage Arabes/Berbères, jusque-là latent, qui a conduit à des luttes fratricides, parfois sourdes, parfois violentes. La première crise ouverte, survenue en 1949, est restée dans les mémoires sous le nom de «complot berbériste», selon l'expression employée par les arabophones. Il y eut une purge dans les instances dirigeantes du mouvement nationaliste, les Kabyles furent évincés du commandement opérationnel ou doublés par des arabophones.

Le mouvement nationaliste a depuis beaucoup souffert de ce clivage, qui s'est considérablement aggravé après l'indépendance. Le chef de la révolution durant la guerre de libération, Abane Ramdane, a été assassiné par ses pairs non pour avoir failli à quoi que ce soit mais parce qu'il était kabyle et qu'il voulait une Algérie indépendante plurielle, moderne, démocratique et sociale. L'alliance sacrée établie durant la guerre de libération (1954-1962) pour faire face à l'ennemi avait vécu. La méfiance s'est installée et les tensions sont allées croissant, les crises devenant de plus en plus graves. En 1980, des manifestations berbères colossales se sont produites, et ont été très durement réprimées. Ces manifestations connues sous le nom de «printemps berbère» ont provoqué une rupture entre Arabes et Berbères qui paraît définitive. En 2001, de nouvelles manifestations, à caractère insurrectionnel, ont été pareillement réprimées, elles firent cent vingt-trois morts et plusieurs milliers de blessés. Elles ont rapporté au moins un premier résultat, mince mais significatif : la langue berbère fut reconnue comme langue nationale. Après une quarantaine d'années d'interdiction depuis l'indépendance, les Berbères étaient enfin autorisés à parler leur langue.

En 2011, la situation s'aggrave, radicalisant le clivage. Il s'est créé un Mouvement pour l'autonomie de la Kabylie (MAK) et peu de temps après a été formé un gouvernement de la Kabylie en exil dont le président est un chanteur kabyle engagé, Ferhat Mehenni. Plusieurs de ses ministres résident en Allemagne d'où ils mènent une diplomatie active sur toute l'Europe.

Il existe de semblables mouvements autonomistes ou séparatistes dans tous les pays dits « arabes » ; ils sont généralement pacifiques, car ils sont animés par des intellectuels et des démocrates, qui réclament des droits civiques simples, la reconnaissance de leur culture, leur langue, leur religion éventuellement, et qui savent qu'une action brutale déclencherait une répression féroce du pouvoir central, que les autres pouvoirs « arabes » approuveraient, appuieraient sans doute, et les démocraties occidentales ne réagiraient pas forcément, tant les conflits internes aux pays arabes leur ont toujours paru incompréhensibles.

Le Maroc connut à plusieurs reprises des crises ethniques graves, dont la guerre dite du Rif (1921-1926) qui mena en 1922 à la sécession du Rif et à la création de la République confédérée des tribus du Rif. Entre 1957 et 1959, une nouvelle révolte dans cette région berbère fut réprimée férocement et des années durant le roi Hassan II la soumit à un blocus et à une administration militaire qui a ruiné son économie pour longtemps.

Partout dans le monde arabe opèrent des forces centrifuges créées par des clivages identitaires entre les différentes communautés, les unes voulant s'affranchir de l'identité arabe écrasante et vivre dans la leur, les autres voulant éradiquer les identités rebelles dangereuses pour l'identité arabe, pour l'islam et pour l'intégrité du pays. Ces tensions naissent autour de l'éducation, des langues, de la répartition des richesses, l'accès au pouvoir, l'autonomie régionale, car il y a évidemment des visées politiques derrière les revendications identitaires. Outre la reconnaissance pleine et entière de la berbérité de l'Algérie, le MAK (Mouvement pour l'autonomie de la Kabylie) revendique la démocratie et la laïcité comme fondements du pays et un juste partage des richesses nationales. En Égypte, les coptes œuvraient dans le même sens que le MAK algérien, mais depuis le « printemps arabe » en 2011 et l'arrivée des islamistes au pouvoir, le cours de l'histoire a changé pour eux, ils pensent qu'ils n'ont plus d'avenir en Égypte, plus de cent mille ont fui en Europe et aux États-Unis et le mouvement s'amplifie de mois en mois. Tout cela montre que le « printemps arabe » doit être regardé de près, il est aussi une révolte identitaire contre une hégémonie de l'arabité devenue étouffante.

2. Une identité unique pour mieux se diviser

Bien que se réclamant de la seule et unique identité arabe, les peuples dits « arabes » ne sont jamais arrivés à se fondre dans un même peuple et former un État unique. Ils ont bien essayé mais ils ont constamment échoué et se sont toujours affrontés. Même l'islam auquel ils sont très fortement attachés n'a pas réussi à les unir. Le grand historien, philosophe et diplomate Ibn Khaldoun (1332-1406), considéré comme le précurseur de la sociologie moderne, a laissé ce mot très dur pour les Arabes : « Les Arabes se sont entendus pour ne jamais s'entendre sur rien. »

En annexe 4, nous fournissons un extrait de son livre fameux ayant pour titre *Les prolégomènes* (en arabe : *Al Muqaddima*), dans lequel il fait une description des mœurs des Arabes de l'époque. Son caractère raciste est réellement choquant, il faut le lire en le replaçant dans son contexte, mais le document est intéressant à connaître en ce sens qu'il est largement utilisé dans plusieurs pays dits « arabes » pour dénoncer la dictature de l'arabité. On voit aussi pourquoi Ibn Khaldoun est très étudié en Occident pour comprendre les sociétés arabes et maghrébines et pourquoi au Maghreb son texte est occulté.

On pourrait ajouter l'incroyable sortie de Mustafa Kemal Atatürk, fondateur et premier président de la République turque, à propos du prophète Mohammed et des musulmans. De tels propos, aujourd'hui, venant d'un chef d'État, le fût-il de la plus grande puissance du monde, déclencheraient aussitôt une rupture diplomatique, voire une guerre. Mais du moins nous apprennent-ils qu'il y avait et qu'il y a encore dans le monde musulman des volontés fortes d'émancipation par rapport à la religion.

« *Depuis plus de cinq cents ans, les règles et les théories d'un vieux cheikh arabe, et les interprétations abusives de générations de prêtres crasseux et ignares ont fixé, en Turquie, tous les détails de la loi civile et criminelle. Elles ont réglé la forme de la Constitution, les moindres faits et gestes de la vie de chaque citoyen, sa nourriture, ses heures de veille et de sommeil, la coupe de ses vêtements, ce qu'il apprend à l'école, ses coutumes, ses habitudes et jusqu'à ses pensées les plus intimes. L'islam, cette théologie absurde d'un Bédouin immoral, est un cadavre putréfié qui empoisonne nos vies.* »

Aujourd'hui, les sociétés « arabes » sont moins unies que jamais car depuis le « printemps arabe » opèrent en leur sein de nouvelles forces antagoniques, s'ajoutant aux vieux clivages identitaires, conséquences d'une nouvelle donne, la montée de l'islamisme : les uns réclament le gouvernement de l'islam et de la charia sur le modèle afghan, les autres veulent la démocratie et la laïcité sur le modèle occidental.

La question se pose maintenant que le « printemps arabe » œuvre à la recomposition du monde arabe sur des bases non plus de l'islam et de l'arabité, mais de l'islamisme radical supranational et internationaliste. Il est trop tôt pour déceler le mouvement des plaques tectoniques qui travaillent dans les profondeurs puisque l'islamisme radical est implanté partout et déjà fait sentir ses effets sur le continuum des pays où il a atteint une certaine masse critique.

La (ré-)islamisation accélérée des pays « arabes » selon les vues des islamistes, la mondialisation qui d'un côté homogénéise le monde et de l'autre réveille les vieux nationalismes qu'on croyait éteints et exacerbe les réticences des terroirs, qui versent parfois dans le folklore pour mieux se distinguer, et remet en cause les hiérarchies et les valeurs qui ont gouverné le monde jusqu'ici (l'Occident, l'économie de marché, les droits de l'homme), vont créer des situations inédites. La question est : Allons-nous en tant qu'individus et peuples suivre

ces évolutions et les intégrer ou allons-nous les refuser et
avoir à les subir ou à les combattre? Beaucoup de gens
se la posent.

Le monde « arabe » est, quant à lui, entré dans cette
phase où la question se pose dans l'urgence du quoti-
dien. Que faire? Accepter ce que la majorité a décidé ou
aller à son encontre et lui proposer (lui imposer?) une
autre voie, si éloignée d'elle, la voie de la démocratie et
de la laïcité, et cela dans un monde qui ne connaît plus
que les rapports de force militaires et économiques?

3. *Une évolution lente et des désirs trop grands*

Ce sont les peuples « arabes » qui dans le monde
accusent le plus grand retard dans leur évolution. Toutes
les propositions de la modernité sur tous les plans (philosophiques, politiques, scientifiques, culturelles) ont été
refusées ou reçues avec suspicion par les pouvoirs de ces
pays, qui continuent de pratiquer les mêmes immuables
interdits, ressasser les mêmes vieilles aspirations, accor-
der le même crédit aux énoncés de la tradition, bref,
de vivre dans le passé, un passé mythifié, sacralisé, figé
à jamais. Rien ne doit changer dans leur environnement pour éviter la nouveauté et ses interpellations qui
ébranlent les certitudes et détournent de la voie islamique. Pour de très larges pans des sociétés « arabes »,
l'univers mental est celui des premiers temps de l'islam,
d'où la facilité avec laquelle le discours islamiste prend
en elles. Il est rassurant, il leur dit que leur monde ne

va pas changer, que tout écart sera sanctionné. Le fossé entre les masses populaires et les élites ouvertes au monde et ayant intégré la modernité dans leurs mentalités ne cesse de s'élargir, rendant impossible le dialogue et donc toute possibilité d'actualisation de l'islam dans le temps présent.

Ce retard est d'autant plus incompréhensible que les Arabes ont joué un rôle essentiel dans la révolution intellectuelle qui a ouvert le passage de l'humanité de l'Antiquité vers les temps modernes. En traduisant les Grecs, dont ils ont enrichi la pensée de leurs propres découvertes, et en diffusant ce savoir dans le monde, ils ont mis en marche un processus qui a placé le monde, l'Europe d'abord, sur les rails d'un progrès qui ne s'est jamais arrêté. Et alors qu'ils leur passaient le relais, que les Européens reçurent avec un engouement extraordinaire, le monde « arabe », comme pris d'une soudaine frayeur devant les fascinations et les incertitudes du futur, s'est arrêté dans son évolution, créant *de facto* les conditions de sa chute, voire de sa disparition. Car qui s'arrête meurt. Einstein disait : « La vie, c'est comme une bicyclette, il faut avancer pour ne pas perdre l'équilibre. »

D'aucuns affirment que le monde « arabe » a été sauvé de cette fatale issue par la colonisation (ottomane puis européenne) qui est venue le sortir de sa torpeur et de la régression dans laquelle il s'était enfermé. D'autres affirment que c'est au contraire à l'éveil de l'islam, amorcé en Asie par des érudits comme Djamal Eddine el-Afghani, considéré comme le fondateur du modernisme islamique, relayé par des « Arabes », l'Égyptien Mohamed Abdou, éminent juriste et mufti, que le monde «arabe» doit d'avoir repris sa marche, et d'autres attribuent son relatif renouveau au vent révolutionnaire que les Lumières ont soufflé sur le monde (Révolution française en 1789, révolution américaine à partir de 1763, l'ère Meiji au Japon entre 1868 et 1912, révolution russe en 1917, etc.) et qui a atteint le monde «arabe» au début du xxe siècle. Ce sursaut de courte durée lui a permis du moins de se libérer du colonialisme et d'accéder à l'indépendance.

On peut aussi dire que les trois influences se sont additionnées pour créer ce choc salutaire.

Les raisons sont nombreuses et discutables (colonisation, guerres coloniales, guerres mondiales, ordre mondial injuste, dictature, pauvreté, etc.) mais le fait est là, les populations «arabes», bien qu'elles aient accédé à l'indépendance, vivent dans un état de sous-développement extrême. En dehors des féodalités très conservatrices dans le fond qui gravitent autour des pouvoirs, et qui vivent dans le luxe factice et tapageur que procurent l'accaparement, l'incivilité et l'inculture, les peuples «arabes» s'enfoncent dans la plus noire des misères. En maintes régions, ils vivent comme leurs ancêtres au Moyen Âge et cela alors que leurs pays disposent d'immenses richesses (hydrocarbures, soleil, patrimoine touristique) et se trouvent dans une position géographique très avantageuse, au carrefour de l'Europe, de l'Afrique et de l'Asie, et que par leur histoire ils ont des liens avec les peuples de toutes ces régions. Ils étaient des passeurs de civilisations, ils se sont fermés au monde.

Mais cet état de sous-développement qui ferme les horizons n'empêche pas les sociétés «arabes» de nourrir des désirs et des ambitions démesurés et ruineux, rarement tournés vers le progrès et le bien-être des populations. Ce sont surtout des ambitions militaires et somptuaires que les gouvernants arabes poursuivent. Il en découle frustration et régression car ces projets sont financés sur le dos des peuples. Les islamistes font la même chose quand ils sont au pouvoir : le régime islamiste d'Iran mène des projets nucléaires grandioses qui n'apportent rien au peuple iranien, au contraire, ils lui enlèvent tout et le font vivre sous la menace d'une guerre massive.

4. La voix du rigorisme et du nationalisme vétilleux

C'est dans le monde «arabe» que se sont développés les rites les plus conservateurs et les plus littéralistes de l'islam : le sunnisme dans ses rites les plus austères, les plus rigides, le malékisme et le hanbalisme, choisis pour rites officiels par les pouvoirs «arabes». Ils ont évidemment imprégné la culture nationale et formaté les esprits. La rigidité, le formalisme, le refus de la négociation et du compromis sont vus comme des valeurs viriles donc positives par définition, alors que la souplesse, le pragmatisme et la composition sont des valeurs négatives, propres aux femmes. C'est une vision machiste du monde, portée par les trois religions monothéistes, mais ici elle est exacerbée par le rigorisme des rites en vigueur dans le monde « arabe » et le nationalisme martial nourri par les guerres coloniales et les guerres israélo-arabes.

Dans le contexte qui était celui des pays « arabes » sous la domination coloniale occidentale et chrétienne, le rigorisme religieux a été amplifié, l'islam était une armure, un refuge pour résister à l'emprise de la culture européenne et supporter la misère de l'indigénat et les injustices du colonialisme. Durant la guerre d'Algérie, le FLN (Front de libération nationale) faisait la guerre au colonialisme mais n'oubliait pas de multiplier les interdictions au peuple comme l'ont fait les talibans lorsqu'ils étaient au pouvoir en Afghanistan, il interdisait aux Algériens de boire de l'alcool, de fumer, chiquer, aller au café, au cinéma, au stade, à la plage, de faire la fête, jouer aux dominos, lire les journaux, de s'habiller à l'européenne pour les Algériennes... la liste s'allongeait au fil de la guerre. Les contrevenants étaient sévèrement punis, ils étaient abattus ou on leur coupait le nez, les lèvres.

Cette démarche a été reconduite après l'indépendance. Les campagnes de moralisation sous forme de coups de poing étaient périodiques, elles étaient menées par la police, et elles faisaient beaucoup de dégâts. Elles ont fait fuir du pays des milliers de jeunes. Tous les pays arabes sans exception ont recouru aux mêmes méthodes, violentes, humiliantes, castratrices. En vérité, aucun colonisateur ne s'est comporté comme ont pu le faire les régimes de Kadhafi, d'El-Assad, de Boumediene, de Ben Ali, de Saddam Hussein.

On croirait que les « Arabes » sont condamnés à toujours vivre dans le rigorisme religieux et la dictature politique, et la malédiction continue car, après le colonialisme et les dictatures postindépendance, et après le très court intermède du «printemps arabe», voici venue la république islamiste portée par les «princes» de l'islamisme : les Frères musulmans. L'épisode du président égyptien Mohamed Morsi qui voulait amender la Constitution pour renforcer ses pouvoirs déjà énormes — ce sont ceux que s'était octroyés Moubarak, que la rue égyptienne appelait «le Pharaon» — est révélateur de l'état d'esprit des islamistes, ils veulent décider non pas dans le cadre de la Constitution et de la démocratie, ils veulent décréter selon le Coran et la charia, autrement dit selon leur bon plaisir.

Les peuples «arabes» seraient de même condamnés à la violence pour se libérer et avoir la paix. Mais pour les pauvres, la violence qu'il leur faut déployer pour se libérer d'une dictature les épuise et les plonge dans une longue apathie propice à l'arrivée d'une nouvelle dictature et ainsi de suite. Comment dans ces conditions rompre le cercle de la violence et de la dictature ?

L'histoire montre peu d'exemples de peuples pauvres qui sont arrivés à sortir du cercle vicieux, comme si cette possibilité n'était offerte qu'aux peuples prospères. «On ne prête qu'aux riches», l'adage est vrai en histoire comme en économie.

L'histoire nous apprend aussi que le rigorisme et le nationalisme ardents sont des maladies graves, ils grandissent les peuples par le discours mais dans les faits ils les tirent vers le bas, et leur ferment les portes de l'avenir.

5. *Les Arabes, califes et missionnaires éternels d'Allah et du Prophète*

Parce que le Prophète Mohammed, toujours désigné par la formule « Mohammed, l'Envoyé de Dieu » (en arabe : *Mohammed rassoul Allah*), est arabe, et parce que les « Arabes » ont été les premiers à recevoir le message coranique et à le porter aux autres peuples dans le monde, ils se considèrent comme un peuple élu, chargé de la mission sacrée d'être les messagers et les gardiens de l'islam, comme les templiers se voulaient les gardiens jaloux et éternels du Graal. Chaque « Arabe » croyant est profondément convaincu de cela. Il vit et agit en conséquence. Cette croyance, qui peut ressembler à une prétention nobiliaire, déplaît souverainement aux musulmans non arabes, ils la ressentent comme raciste, incompatible avec la fraternité en religion que l'islam place au plus haut niveau.

Qu'un blasphème contre l'islam soit proféré quelque part dans le monde, qu'un lieu appartenant à *Dar el islam* soit profané, et voici chaque « Arabe » prêt à prendre les armes (symboliquement ou réellement) pour sanctionner le coupable. Il agira ainsi chaque fois qu'il verra, entendra ou lira quelque chose qui attente à l'islam et à son prophète. Chez les uns, la démarche sera pédagogique, chez les autres elle sera violente.

La réaction individuelle sera aussitôt relayée et amplifiée par la communauté et tout aussi vite l'incident deviendra une affaire d'État, voire l'affaire de toute l'oumma à travers la planète. Personne ne peut échapper à cette obligation vengeresse, elle est mise à la charge de chacun et de tous, en tout temps, en tout lieu. Il en cuira à qui se montrera indifférent à ces atteintes ou qui fera une autre analyse de l'événement. L'adhésion doit être spontanée, totale, et la réaction conforme à la règle, on manifestera s'il faut manifester, on frappera s'il faut frapper, on fera la guerre s'il faut faire la guerre.

Si le blasphème est grand, seuls les grands imams et muftis pourront dire quand la colère doit cesser mais aucun ne peut demander que le coupable soit épargné, il trahirait la loi. La fatwa émise par l'ayatollah Khomeiny condamnant à mort Salman Rushdie est toujours valide et la prime a même été portée en 2012 à 3,3 millions de dollars.

Il est révoltant de voir que la vie d'un homme tient à une fatwa de quelques lignes. En l'occurrence, elle dit ceci :

«*Au nom de Dieu le Tout-Puissant. Il n'y a qu'un Dieu à qui nous retournerons tous. Je veux informer tous les musulmans que l'auteur du livre intitulé* Les versets sataniques, *qui a été écrit, imprimé et publié en opposition à l'Islam, au Prophète et au Coran, aussi bien que ceux qui l'ont publié ou connaissent son contenu ont été condamnés à mort. J'appelle tous les musulmans zélés à les exécuter rapidement, où qu'ils se trouvent, afin que nul n'insulte les saintetés islamiques. Celui qui sera tué sur son chemin sera considéré comme un martyr. C'est la volonté de Dieu. De plus, quiconque approchera l'auteur du livre, sans avoir le pouvoir de l'exécuter, devra le traduire devant le peuple afin qu'il soit puni pour ses actions. Que Dieu vous bénisse tous.*»

Signé : Rouhollah Musavi Khomeiny.

Cette fonction de protecteur de l'islam, ayant droit de vie et de mort sur quiconque, exerce une fascination maladive sur les islamistes radicaux (talibans, GSPC, AQMI, Mujao, Boko Haram), elle donne à leurs bas instincts le moyen de se libérer et à leur conscience la justification la plus élevée pour dormir du sommeil du juste. C'est au nom d'Allah et tout fièrement qu'ils condamnent, pillent, saccagent, violent et tuent.

6. *Les jeunes et les femmes,*
otages perpétuels du système religieux

Le monde « arabe » a deux richesses, ses enfants et ses femmes, ils portent en eux l'avenir mais, cet avenir, ils ne peuvent que le rêver en secret. Les jeunes rêvent d'amour, de voyages et d'expériences inédites et les femmes rêvent d'être un jour, un moment, maîtresses de leur vie, de leur corps, de leurs aspirations. Mais l'organisation du monde « arabe », religieux, patriarcal et tribal, ne laisse aucun degré de liberté à quiconque, aux femmes et aux jeunes encore moins, ils sont surveillés, contrôlés, le système ayant compris depuis longtemps que leurs rêves pouvaient être un danger pour l'ordre établi. On les mariera très vite pour les faire passer à l'âge adulte où la loi pourra leur être appliquée dans toute sa sévérité.

Une hirondelle ne fait pas le printemps mais partout dans le monde « arabe » souffle un petit vent d'émancipation chez les jeunes et les femmes. Alors que la société arabe se referme sous la pression des islamistes, ils sont de plus en plus nombreux à afficher leur liberté et à vouloir secouer le joug. Ils semblent aussi avoir intégré cette idée, révolutionnaire dans le monde « arabe », que la violence est contre-productive, elle renforce les chaînes que l'on veut briser. Ils empruntent donc des voies nouvelles, les études qu'ils prolongent pour distendre les relations avec le système familial et tribal, le travail qui leur donne l'autonomie, l'émigration lorsqu'ils le peuvent dans laquelle ils achèvent de s'émanciper, ils ont appris à travailler en réseau grâce aux nouveaux instruments de communication, et ainsi ils ont accédé à l'idée que leur problème particulier était aussi un problème global. L'union fait la force, c'est une vérité qu'ils ont pu vérifier dans les premiers jours du « printemps arabe » mais, hélas, les partis politiques démocrates trop divisés et peu ancrés dans la population sont allés dans le désordre aux élections face à des islamistes unis comme les doigts d'une main.

Sous réserve d'un inventaire plus fin, on dira qu'ils ont été l'étincelle qui a allumé le « printemps arabe ». Les islamistes l'ont bien compris et c'est dans ce domaine, le contrôle des jeunes et des femmes, qu'ils vont le plus travailler. Ils le font déjà.

VI

La politique occidentale de l'islamisme

La question ne se posait pas hier mais, depuis le « printemps arabe » qui a porté les islamistes au pouvoir dans plusieurs pays arabes et qui a surtout révélé que dans l'ensemble du monde arabe les peuples étaient largement favorables à un gouvernement religieux, il est devenu légitime de se la poser : l'islamisme est-il un problème pour les pays musulmans ou l'est-il seulement pour l'Occident ?

Le regard a changé au cours du temps.

Pendant longtemps l'islamisme n'était un problème pour personne, et sans doute même pas pour l'islam, sinon pour quelques rares intellectuels musulmans qui ici et là s'interrogeaient sur l'avenir de l'islam — les uns se demandant s'il allait disparaître dans la marche du monde vers toujours plus de modernité, comme le christianisme avait reflué dans les sociétés occidentales, les autres se demandant comment ils pourraient le revivifier, le moderniser, l'enseigner aux générations montantes, et d'autres pensant que le retour à l'islam des origines était la seule voie pour sauver l'islam. La plupart n'avaient pas de préoccupation politique, ils voulaient préserver, sauver un patrimoine religieux, culturel, linguistique, poétique, architectural. Dans le monde, personne n'était au courant de ce questionnement et des écrits produits par ces intellectuels.

Puis, à partir notamment de la campagne d'Égypte du général Bonaparte, doublée d'une expédition scientifique de grande envergure, l'Occident se découvrit un intérêt subit puis une vraie passion pour l'Égypte et le monde arabe. En ce temps, on le désignait sous le nom d'« Orient » qui fleurait l'exotisme et l'aventure mais aussi évoquait le foyer originel où était né le christianisme et d'où était partie la civilisation judéo-chrétienne. Et ainsi naquit l'orientalisme, une façon un peu mystique de regarder l'Orient, semblable et si différent par la religion, la langue, la culture. Et l'orientalisme créa l'occidentalisme. Les deux mondes avaient installé entre eux un miroir déformant qui allait leur jouer bien des tours. Passé le charme, vint l'incompréhension.

La politique arabe de l'Occident se mettait en place sur un malentendu.

Grâce à d'éminents érudits musulmans, tels Djamal Eddine el-Afghani et Mohamed Abdou, qui ont visité l'Europe où ils furent reçus dans les enceintes les plus prestigieuses (universités, salons littéraires, partis politiques, loges maçonniques), une nouvelle étape s'est ouverte, les Occidentaux comprenaient que le monde musulman avait entrepris de se réformer et qu'il avait érigé l'islam comme l'instrument de sa rénovation. Et dans cet attendu, il y avait implicitement un rejet et une réprobation de l'Occident, lequel, depuis les Lumières et la Révolution française de 1789, s'acheminait vers la séparation de l'Église et de l'État.

On se rappellera la fameuse conférence que le célèbre philosophe français Ernest Renan a donnée à la Sorbonne en 1883, dans laquelle il s'attacha avec brio et force arguments à démontrer que l'islam dans son essence était opposé à la science et que les Arabes par nature n'aimaient ni les sciences ni la philosophie. Par là il rejoignait les propos d'Ibn Khaldoun dont il connaissait le point de vue sur les Arabes. L'affaire fit scandale et gagna tout le monde musulman. La réponse de Djamal Eddine el-Afghani fut très forte, elle sera suivie d'une levée de boucliers de tous les intellectuels musulmans dans le monde. Les réponses aux réponses fusaient de partout. On notera avec tristesse que de tels débats, élaborés et pacifiques, sont aujourd'hui inconcevables. Dans son livre fameux, *L'orientalisme. L'Orient créé par l'Occident* le Palestino-Américain Edward Saïd dénonça le discours orientaliste et colonialiste de Renan et, à travers lui, la violence séculaire que l'Occident nourrit à l'égard de l'Orient. Ce livre est à relire, dans le contexte actuel, certaines de ses conclusions prennent un relief particulier. On comprend mieux le ressenti des intellectuels arabes et leur attitude.

Petite remarque : l'identité religieuse d'El-Afghani reste incertaine. Les uns le disent persan, chiite, de rite jafarite (duodécimain), les autres le disent afghan, sunnite, de rite chafiite. Lui-même se montrait également attaché à l'Iran et à l'Afghanistan et connaissait parfaitement les subtilités des deux rites qu'on lui prêtait. Ceci s'explique sans doute : il œuvrait à la rénovation de l'islam et à ses yeux cela exigeait une démarche unitaire qui dépasse les divisions dogmatiques entre les deux grands courants musulmans, le sunnisme et le chiisme.

Un peu plus tard, en Afrique du Nord, le penseur algérien Ben Badis (1889-1940), acquis aux idées réformatrices de Djamal Eddine El-Afghani et Mohamed Abdou, et aussi fortement influencé par le Libanais Chakib Arslan (prince druze, surnommé «le Prince de l'éloquence» pour sa maîtrise de la langue arabe, fervent panislamiste et soutien de l'ottomanisme — il recommandait aux Arabes et aux musulmans de soutenir coûte que coûte l'Empire ottoman car sa fin, prédisait-il, entraînerait l'éclatement de l'oumma au profit des puissances européennes), qui s'était rendu célèbre dans tout le monde musulman grâce à sa revue *La Nation arabe* qui exaltait l'unité arabe et la langue arabe et qui était lue «de Rabat à Java», créait le mouvement des ulémas musulmans algériens dont la devise fera florès dans l'ensemble du monde arabe où chacun la déclinera à sa manière : «L'Algérie est ma patrie, l'islam ma religion et l'arabe ma langue.» Dans les années 1930, il dénonça avec courage le fascisme, le nazisme et l'antisémitisme, qui connaissaient un succès certain parmi les Français d'Algérie, dont beaucoup étaient pétainistes et sympathisants de l'hitlérisme, et dans les milieux nationalistes arabes, sympathisants de l'hitlérisme mais pour d'autres raisons : ils suivaient en cela le grand mufti de Jérusalem, Hadj Amin el-Husseini, qui s'était rapproché de Hitler et avait officiellement proclamé le jihad contre les juifs, les sionistes et les Occidentaux (Français et Anglais), et

appelé les jeunes Arabes à s'engager dans l'armée alle-
mande, ce que beaucoup firent, et avec lesquels Hitler
forma la fameuse 123e division de la Waffen-SS.

L'Occident découvrait l'islamisme, un islamisme
encore serein, animé par de grands intellectuels, mais
qui allait se radicaliser quelques années plus tard avec
Hassan el-Banna, formé aux idées d'El-Afghani et de
Mohamed Abdou, qu'il admirait mais qu'il jugeait être
dans l'erreur sur le fond ; quant à la méthode, il s'oppo-
sait à leur conception purement spiritualiste de l'islam,
et proclamait que les musulmans devaient aller plus
loin, faire émerger un islam social et politique, se libérer du colonialisme et de l'influence occidentale par la
voie de l'islam, quitte à recourir à des moyens radicaux.
À vingt et un ans, à Ismaïlia, il fonde l'association des
Frères musulmans qui se dotera bientôt d'un bras armé
clandestin appelé l'Organisation secrète.

Cet islamisme aux couleurs des Frères connut instan-
tanément un immense succès dans l'ensemble du monde
arabe. Il y rencontrera les idées naissantes du nationalisme et du panarabisme (la mobilisation du peuple, la
lutte armée pour l'indépendance, l'union des Arabes) auxquelles il se mêlera d'une étrange manière. De ce syncré-
tisme hâtif sortit un courant hybride, avec des objectifs
modernes d'un côté (construction d'un État sur le modèle
occidental) et traditionalistes de l'autre (construction
d'un État islamique). Ainsi est né le concept hybride de
« république islamique » pour satisfaire les modernes,
attachés à la république, et les religieux, naturellement
attachés au gouvernement par la charia.

L'Occident fut confronté à cet islamisme syncrétique durant les décolonisations, mais comme celui-ci mêlait son discours brumeux au discours nationaliste moderne, il n'était pas très audible ni très visible. Très vite, les nationalistes d'inspiration socialiste l'emportèrent et s'érigèrent en partis uniques.

Avec la chute du shah et l'instauration d'une république islamique en Iran, et la victoire des islamistes afghans sur les Soviétiques qui occupaient leur pays (aidés en cela par les États-Unis), l'Occident découvrait que l'islamisme avait atteint sa pleine puissance et que ses ambitions iraient croissant. L'islamisme était passé à la phase jihadiste et terroriste, il avait perdu toute dimension spiritualiste, morale, culturelle ou autre. Il devenait un fascisme meurtrier obéissant à la seule volonté de puissance.

Malgré tous les méfaits commis par les islamistes, qui ont terni l'image de l'islam, les peuples musulmans votent encore pour eux. Ils l'ont fait en Turquie, en Afghanistan, en Algérie, en Tunisie, au Maroc, en Égypte, ils sont dominants ailleurs et leur arrivée au pouvoir est une question de temps. Même en Europe, les musulmans votent en nombre pour les islamistes. Ceux qui les désapprouvent ne vont cependant pas jusqu'à les dénoncer et les combattre, parce que c'est dangereux et surtout parce que l'islamisme traverse les familles en Europe comme au pays. Combattre l'islamisme revient à combattre sa propre famille, ses frères, ses voisins, ses amis. Avec les siens, on essaie de composer, au pire on se sépare.

Il est trop tôt pour en décider, mais il semble que l'islamisme est d'abord un problème pour l'Occident dont il dénonce violemment les valeurs et qu'il attaque dans ses intérêts, bien que pour le moment ce soit aux siens, les musulmans, qu'il fait le plus de mal. Dans les pays musulmans, il est possible toutefois que les musulmans s'accommodent de l'islamisme, car ils ont un terrain commun avec lui : l'islam. En cela, l'exemple turc est à considérer : dans ce pays, l'islam, la démocratie et l'islamisme ont pu composer et construisent ensemble une nouvelle Turquie.

Avec le recul, on peut voir que les gouvernements occidentaux comme les gouvernements des pays arabes et musulmans ont sous-estimé l'islamisme, puis l'ont combattu frontalement. Les Occidentaux ont soutenu les dictatures arabes pour faire barrage à l'islamisme et l'affronter par les armes. Ce faisant, ils l'ont renforcé, ils lui ont donné les héros et les martyrs dont il avait besoin pour se construire une image sainte digne de la geste du Prophète quand il combattait les infidèles.

La gestion de l'islamisme a été entourée de beaucoup de secrets, on en a fait une affaire de spécialistes et de services de sécurité alors qu'il s'agit d'une affaire politique, publique donc, qui devrait se traiter en pleine lumière et mobiliser la société. Un problème social dont on confie la gestion aux seuls spécialistes a toutes les chances de se développer et de s'aggraver. En l'ouvrant à tous, on chasse l'ombre, on le vide de son mystère. Mais le mal est fait, de nouvelles approches sont à inventer, car entre-temps l'islamisme a gagné en puissance et en légitimité, il a une histoire maintenant, il gouverne, il domine dans plus de vingt pays comptant plusieurs centaines de millions d'habitants. Les données ne sont plus les mêmes.

La crise économique — mais peut-être est-elle aussi une crise des valeurs — dans laquelle se débattent les grands pays occidentaux ainsi que le déplacement du centre de gravité de la puissance économique mondiale en Asie, et l'absence de coordination entre ces grands pays, laissent à penser que l'islamisme va se mouvoir avec une plus grande liberté d'action. Les Chinois, les Russes, le Brésil, l'Afrique du Sud, etc., n'auront pas les mêmes attitudes avec lui. Ils ne le connaissent pas vraiment, n'ont pas de relation historique avec lui, ils travailleront avec lui sans difficulté et lui fourniront tout ce qu'il voudra acheter chez eux.

VII

Conclusions

L'islamisme vient de loin. Dès les premiers jours de l'islam, des hommes exaltés ont voulu aller plus près de Dieu que le Prophète lui-même, qui était un peu dispersé entre ses multiples fonctions : prophète, chef de parti, chef d'État, général en chef, éducateur, juge, chef d'une grande famille. Il n'avait pas les qualités de toutes ces fonctions, il était analphabète et n'avait jamais exercé que le métier de marchand. Il a appris sur le tas, avec ses compagnons, et avec l'archange Gabriel (Jibril) qui lui délivrait à l'oreille les messages d'Allah.

Comme la banquise au printemps, l'islam s'est rapidement disloqué en chapelles pour le moins adverses — kharidjite, sunnite, chiite, soufie —, et ce n'était que le début, on compte bientôt plusieurs dizaines de blocs erratiques plus ou moins importants, se mouvant dans des aires géographiques et culturelles très différentes — africaine, européenne, indienne, asiatique. La constitution du califat, disposant d'un pouvoir absolutiste, et l'écriture définitive du Coran ont mis un peu d'ordre dans ce bouillonnement et cette dispersion. L'expansion de l'islam par la conquête et la prédication — telle est la mission donnée aux musulmans par Allah —, la découverte et la confrontation avec des civilisations puissantes (Perse, Turquie, Chine, Inde, Afrique) ont déplacé dix fois le centre de gravité et du pouvoir du monde musulman.

Plus le temps avançait, plus le territoire s'agrandissait, plus les schismes se multipliaient et plus le monde musulman s'affaiblissait. Il aura finalement duré assez peu, à peine autant que l'Empire romain qui a compté cinq siècles d'existence (mille ans si l'on compte les cinq précédents siècles de la République romaine), mais il a occupé un espace plus grand. Comme l'Empire romain, il s'est effondré assez brutalement. Le centre du monde s'est déplacé en Europe, un monde dont les valeurs s'opposaient aux valeurs qui fondaient le monde musulman. Hors la croyance au même Dieu et le partage des mêmes prophètes (que l'islam met cependant à des rangs différents : de fils de Dieu pour les chrétiens, Jésus devient chez les musulmans un prophète plutôt mineur ; par contre, Abraham, peu important chez les chrétiens, est placé chez les musulmans au sommet de la hiérarchie des prophètes, juste après Mohammed), rien ne leur est commun. L'affrontement entre christianisme et islam était inéluctable. Il fut pacifique quand l'Andalousie brillait sur le monde, les savants musulmans parcouraient l'Europe et enseignaient dans ses universités naissantes, en France et en Italie. Puis il fut militaire, on se battait, pour se libérer de l'occupation musulmane, en France, en Espagne, en Sicile, en Autriche et, avec une passion fabuleuse, en Palestine.

Puis, des siècles durant, ce fut le reflux, Arabes et

musulmans reculaient sur tous les terrains, leur monde se réduisait comme peau de chagrin, sur tous les plans, territorial, politique, culturel, scientifique, économique. Il ne restait rien de l'âge d'or et de la mythique *Dar el islam*. Leurs pays ont été morcelés, reconfigurés, colonisés, et se sont dépeuplés par l'effet des guerres, de la misère et de l'émigration.

Il leur restait cependant une chose que personne ne pouvait leur prendre, l'islam. Ils en firent un cache-misère, un refuge, une espérance. Il y eut bien des projets de rénovation au cours des siècles mais personne n'en entendait parler, ils ne sortaient pas des cercles qui les avaient conçus. Jusqu'à l'avènement de l'islamisme. De tous ceux qui proposèrent une rénovation par l'islam, celle des islamistes était la plus crédible, la plus exaltante. Elle était globale, religieuse, politique, sociale. Et puis donner sa vie pour l'islam est le rêve de tout musulman. Les peuples y adhérèrent et cela avec d'autant plus de conviction que ceux qui les gouvernaient étaient des étrangers, des infidèles exploiteurs et arrogants, et que ceux qui les remplacèrent après les indépendances s'avérèrent être des mécréants despotiques et corrompus. Quel autre choix avaient-ils ? La démocratie sur le modèle occidental exigeait une révolution des idées qui était irréalisable en islam car en opposition radicale avec ses lois fondamentales. Le fait est là, en quatorze siècles, aucune tentative de révolution des idées semblable à celle des Lumières n'a pu émerger et prendre corps dans l'univers musulman. S'il y en a eu, elles restèrent confinées dans des milieux fermés ou elles furent rapidement tuées dans l'œuf.

Ce qu'on a hâtivement appelé « printemps arabe » attend d'être requalifié. Est-ce réellement la première étape d'une longue et chaotique marche vers la démocratie ? Est-ce le premier temps d'une dictature islamiste ? Qu'en sortira-t-il ? Une union des États arabes islamistes qui réaliserait la Nahda attendue ? De nouvelles dictatures militaires ? L'anarchie permanente comme en Somalie, en Afghanistan, en Irak, en Libye, et de nouvelles guerres civiles ? Des violations massives des droits de l'homme ? Des exodes massifs ? Comment réagira l'opposition démocratique ? Verrons-nous apparaître une opposition armée dans ces pays ? Les islamistes vont-ils se diviser et se faire la guerre ? Quelles relations avec le monde occidental ? Quel avenir pour la Méditerranée ? Quelle évolution dans le conflit israélo-arabe ? Les islamistes seront-ils moins nuisibles, moins corrompus, que les précédents régimes ? Feront-ils en matière d'économie et de sécurité aussi bien que les islamistes turcs ? Qu'apporteront-ils à leurs pays et au monde ?

Toutes les questions, toutes les peurs, tous les espoirs également sont possibles.

Jusque-là, dans le monde arabe, nous n'avons connu les islamistes que dans l'opposition, pacifique ou armée. À présent, ils sont au pouvoir. C'est réellement une nouvelle ère qui commence pour les pays « arabes ». Pour le monde aussi, peut-être.

ANNEXES

Annexe 1

Courants, écoles
et mouvements en islam

L'islam s'est divisé au cours du temps en courants qui ont
donné naissance à différentes écoles de pensée qui ont inspiré
chacune plusieurs mouvements, factions et sectes.

1. Sunnisme
   - Quatre écoles de pensée : chafiisme, hanafisme, hanba-
     lisme, malékisme.
   - Plusieurs mouvements : salafisme, atharisme, acha-
     risme, maturidisme, ahbach, Frères musulmans, Tabli-
     ghi Jamaat.

2. Chiisme
   - Trois écoles de pensée : usulisme, akhbarisme, jafarisme.
   - Mouvements : duodécimains, râfidhites, alévisme, yârsâ-
     nisme, alaouites, shaykhisme, khojas, ismaélisme septi-
     main, druzes, nizârites, mustaliens, dawoodi, kaysanites,
     zaydisme...

3. Soufisme (divisé en confréries)
   - Aïssawa, chadhiliyya, chrishtiyya, mourides, nayshba-
     diyya, nematollah, qadiriyya, rahmaniyya, tidjaniyya...

4. Kharidjisme
   - Ibadisme, azraqites, sufrites, nekkarites, mutazilisme, murdjisme, coranisme, takfirisme...

5. Courants non reconnus par l'orthodoxie
   - Ahmadisme, Nation of Islam, din-îlahi.

Cette énumération, qui n'est pas exhaustive, montre combien l'histoire de l'islam fut mouvementée. Comme dans la chrétienté, les schismes qui ont secoué le monde musulman ont pour la plupart été douloureux et ont produit parfois d'immenses déplacements de populations cherchant à échapper aux persécutions.

Annexe 2

Répartition des musulmans
par régions et pays

Pour un panorama complet sur le monde musulman, on se reportera utilement à l'enquête réalisée par le Pew Research Center, un *think tank* américain basé à Washington qui mène des études sur des sujets controversés, études qui ont une influence sur les États-Unis et sur le monde. L'enquête est accessible sur Internet, son titre est *The World's Muslims : Unity and Diversity*.

Elle nous montre que les musulmans sont présents dans 170 pays, dont 88 comptent plus de 5 % de musulmans dans leur population. Dans 47 pays, les musulmans sont majoritaires (plus de 50 %).

Par régions, la répartition se présente comme suit :

Régions	Nombre de musulmans (millions)	% population de la région	% population mondiale
Asie	972	24,1	61,9
Moyen-Orient + Maghreb	315	91,2	20,1
Afrique subsaharienne	240	30,1	15,3
Europe	38,1	5,2	2,4
Amérique	4,97	0,5	0,3
Monde	1 572	22,9	100

Toujours selon le Pew Research Center, le nombre de musulmans dans le monde s'accroît annuellement de 1,5 % contre 0,7 % pour les autres communautés. Aux États-Unis, la population musulmane a doublé en une décennie. C'est en Europe que son dynamisme est le plus fort : selon certaines projections, en 2030, le nombre de musulmans atteindrait 58,2 millions, soit 6 % de la population totale. Les pays concernés par cette évolution sont la Belgique qui passerait de 6 à 10,2 %, la France qui atteindrait 10,3 % contre 7,5 % aujourd'hui, la Suède qui passerait de 5 à 10 %, l'Angleterre de 4,6 à 8,2 % et l'Autriche de 6 à 9,3 %.

Cette expansion se fait de manière naturelle (natalité), par l'émigration et par les conversions qui connaissent un succès notable.

Une autre évolution remarquable est la baisse sensible de la part arabe dans le nombre global des musulmans dans le monde. Dans une vingtaine d'années, 79 pays compteront une population de plus d'un million de musulmans contre 72 actuellement. Le nombre de musulmans dans le monde passerait de 1,6 à 2,2 milliards avec 6 musulmans sur 10 vivant dans la zone Asie-Pacifique, entre l'Indonésie et le Pakistan. En Afrique, le Nigeria détrônera l'Égypte, il sera le premier pays musulman du continent.

Ces évolutions démographiques auront sans doute des incidences sur les rapports à l'intérieur du monde musulman et entre celui-ci et les autres régions du monde.

Annexe 3

Petite monographie du monde arabe

Le monde arabe est en fait très difficile à définir. On ne sait quel critère retenir pour définir l'ensemble :

— Le seul critère de l'appartenance à l'islam mettrait dans le «monde arabe» l'ensemble des pays musulmans, soit environ 1,57 milliard d'êtres humains, parmi lesquels les plus nombreux se trouvent en Asie (Indonésie, Malaisie, Chine, Inde...).

— Le critère de la langue arabe ne peut davantage être retenu. L'arabe est pratiqué dans un espace qui dépasse largement le monde dit «arabe», il est largement pratiqué au Tchad, Niger, Mali, Iran, Turquie, il est présent dans les zones rurales de plusieurs pays, Sénégal, Soudan du Sud, Cameroun, Érythrée, Éthiopie, Kenya, Tanzanie, République centrafricaine. L'arabe est dominant au Maghreb et au Machrek mais d'autres langues s'y pratiquent, le berbère, le kurde, et aussi, conséquence des colonisations, le français, l'anglais, l'espagnol et l'italien.

— Les critères de nation et de race ne sont pas clairs, ils ne correspondent en fait à aucune réalité. Il n'existe ni race ni nation arabes.

Jusqu'à la création de la Ligue arabe en 1945, le monde arabe couvrait une aire beaucoup plus réduite qu'aujourd'hui, l'Algérie (département français), le Soudan, la Somalie, Djibouti n'en faisaient pas partie. La Ligue arabe a démarré son existence avec sept membres (Égypte, Arabie Saoudite, Syrie, Jordanie, Irak, Liban, Yémen du Nord). Aujourd'hui ils sont vingt-deux. Et rien n'interdit que demain la Ligue élargisse son tour de table au Tchad, au Mali, au Kurdistan (s'il est créé), au Niger, etc. Ceci veut dire que c'est l'appartenance à la Ligue arabe qui donne l'identité arabe aux pays qui en sont membres.

Quand le roi Hassan II demanda l'adhésion du Maroc à l'Union européenne, il demandait à faire du Maroc un pays européen, selon la règle qui a formé la Ligue arabe : l'adhésion à un espace donne l'identité que se reconnaît cet espace. Ce qui n'est pas absurde, tout autre critère (religion, langue, race, couleur de la peau ou autre) rendrait impossible la constitution de tels ensembles, puisqu'en tout endroit de ces ensembles vivent des populations de religions et de langues différentes, de races et de couleurs différentes. Même les valeurs ne sauraient être un facteur pour définir cette appartenance, on peut avoir des valeurs différentes et partager la même identité.

L'histoire a divisé le monde « arabe » en deux grands ensembles, le Maghreb constitué des pays à l'ouest de l'Égypte et le Machrek formé des pays situés à l'est de l'Égypte. Depuis longtemps, l'Égypte, par son éminent rôle dans l'histoire et la taille de sa population, a été le pivot de ce monde. Pour d'autres raisons, privilégiant l'homogénéité historique, géographique et culturelle, on fait aussi une autre division : on distingue le Maghreb (Mauritanie, Algérie, Maroc, Tunisie, Libye), la vallée du Nil (Égypte, Soudan), la Corne de l'Afrique (Djibouti, Somalie, Comores), le Croissant fertile (Irak, Syrie, Liban, Jordanie, Palestine), la péninsule arabique (Arabie Saoudite, Bahreïn, Qatar, Émirats arabes unis, Koweït, Oman, Yémen).

C'est ainsi qu'il y a une Europe occidentale et une Europe orientale, une Europe du Nord et une Europe du Sud, une Europe riche et une Europe pauvre. Ces segmentations ne sont pas anodines, elles correspondent à des lignes de fracturation (anciennes ou potentielles) entre les différentes régions de l'ensemble et ont donc un caractère tout à fait opérationnel.

Population

Les statistiques officielles sur la population dans le monde arabe sont sujettes à caution. Elles sont produites par des institutions obéissant à des impératifs qui ne sont pas forcément ceux de la démographie. Comme dans plusieurs pays européens, mais pour d'autres raisons, les statistiques ne traitent pas la population selon les critères ethniques, religieux, linguistiques. Les statistiques officielles dans ces pays considèrent la population comme une collection homogène constituée d'Arabes et de musulmans. En Algérie, on ne saura pas combien le pays compte de Berbères, d'Arabes, de musulmans, de chrétiens, de juifs et autres, de locuteurs dans telle ou telle langue courante du pays (arabe, berbère, français). On sait seulement qu'il compte 36 millions d'habitants en 2012 répartis selon les critères habituels de la démographie : répartition par sexe, âge, lieu, profession, revenus, etc. Dans les autres pays arabes, les statistiques officielles ne diront rien ou très peu sur les Kurdes, les Arméniens, les coptes, les juifs, etc.

Quant aux statistiques produites par des organisations non officielles, elles sont encore plus discutables.

Langue officielle

C'est l'arabe dans tous les pays de la Ligue arabe. Mais tous ces pays ont connu et connaissent encore des conflits linguistiques importants. Au Maghreb, les Berbères ont longtemps bataillé pour obtenir la constitutionnalisation de la langue berbère. Elle a été reconnue en Algérie en 2002 et au Maroc en 2011 mais seulement comme langue nationale (non officielle). Il reste maintenant à donner corps à cette disposition constitutionnelle, ce qui s'avère être un long et difficile combat. Dans les autres pays du Maghreb (Tunisie, Libye), la revendication très souterraine sous les régimes de Kadhafi et de Ben Ali commence à s'exprimer ouvertement. Le gouvernement mauritanien nie quant à lui l'existence d'une langue berbère en Mauritanie. Dans ce pays, les populations noires militent pour leur langue mais aussi pour leur émancipation civique.

Le problème se pose dans des termes différents dans les pays du Machrek (le kurde en Irak et en Syrie).

Économie

Les économies des pays de la Ligue arabe ne sont pas intégrées entre elles comme le sont les économies des pays de l'Union européenne. L'intégration interarabe est quasi nulle, les échanges commerciaux ne représentent pas 2 % de leurs échanges avec le reste du monde. Cela vient de ce que chaque pays est intégré dans l'économie mondiale selon ses spécificités. Beaucoup le sont presque exclusivement par la rente pétrolière (Algérie, Libye, Arabie Saoudite, Qatar, Koweït, Émirats arabes unis), d'autres le sont par le tourisme et l'agriculture et les transferts des émigrés (Maroc, Tunisie, Égypte). Aucun d'eux ne dispose d'une industrie moderne qui assure des revenus réguliers à l'exportation. Ce sont des économies fragiles, exposées à tous les chocs, internes et externes. Leur modernisation semble assez improbable tant ces pays se trouvent dans des situations politiques et sociales difficiles. Depuis le « printemps arabe », toutes les économies arabes connaissent une stagnation ou, pire, un recul.

Les atouts des pays arabes

Ils en ont beaucoup. Leur mise en évidence et leur exploitation supposent une révolution dans le système de gouvernance de ces pays. Les principaux atouts sont la jeunesse de la population et la position privilégiée au carrefour de l'Europe, l'Afrique et l'Asie. Dans les échanges mondiaux, ces atouts sont essentiels. Les pays arabes bénéficient en outre de ressources naturelles nombreuses dont la valorisation interne pourrait assurer des revenus élevés et réguliers. Les avantages comparatifs dont ils disposent (abondance et faible coût de l'énergie, main-d'œuvre relativement bien formée et peu chère, proximité du marché européen qui peut absorber leur surplus...) ne demandent qu'à être mis au service d'un développement national vertueux.

Annexe 4

Extrait de la *Muqaddima* (*Prolégomènes*)
d'Ibn Khaldoun consacrée aux Arabes

Voici un extrait de ce qu'Ibn Khaldoun écrivait sur les Arabes. Ce jugement très sévère a souvent servi aux détracteurs des Arabes au cours du temps, jusqu'à nos jours.

*XXIV. Les Arabes ne contrôlent
que les régions des plaines*

En raison de la nature de leur vie à l'écart, les Arabes pratiquent le pillage et les déprédations. Ils pillent ce qui est à leur portée en évitant d'engager des combats et de s'exposer au danger. Puis ils se replient sur leurs pâturages du désert. Ils ne soutiennent jamais une attaque, et ne livrent combat que pour se défendre. S'il se présente une forteresse ou une position difficile, ils les évitent pour des entreprises plus aisées, et s'abstiennent de s'en approcher. Aussi les tribus protégées par des montagnes inaccessibles sont-elles à l'abri de leurs déprédations et de leurs méfaits. Les Arabes ne franchiront pas les collines pierreuses, ne chercheront pas les difficultés et ne prendront aucun risque pour aller les trouver.

Les plaines, au contraire, sont livrées à leur pillage et à leur avidité, dès que l'absence de milice ou la faiblesse de l'État les met à leur portée. Ils multiplient les raids, pillent et attaquent sans cesse, parce que l'entreprise est aisée. Les habitants finissent par courber l'échine. Ils sont ballottés entre leurs autorités changeantes et corrompues, jusqu'au jour où leur civilisation s'éteint.

Dieu a pouvoir sur Ses créatures.

XXV. *Les pays conquis par les Arabes ne tardent pas à tomber en ruine*

En voici la raison. Habitués aux conditions de vie à l'écart et à tout ce qui y prédispose, les Arabes sont une nation farouche. La vie isolée fait partie de leur caractère et de leur nature. Ils s'y complaisent, parce qu'elle leur permet d'échapper au joug de l'autorité et de ne se soumettre à aucun gouvernement. Mais cette disposition est incompatible et en contradiction avec la civilisation. Ils passent ordinairement toute leur vie en voyage et en déplacement, ce qui est en opposition et en contradiction avec une vie fixe, productrice de civilisation. Les pierres, par exemple, ne leur servent que comme points d'appui pour leurs marmites : ils vont les prendre dans les édifices, qu'ils dévastent dans ce but. Le bois leur sert uniquement à faire des mâts et des piquets pour leurs tentes. Pour s'en procurer, ils démolissent les toits des maisons. Leur existence est essentiellement en opposition avec la construction, qui est la base de la civilisation. Tels sont donc les Arabes en général.

De plus, il leur est naturel de piller ce qui appartient à autrui. Pour gagner leur subsistance quotidienne, ils ne comptent que sur leurs lances. Leur tendance à extorquer les biens d'autrui n'a pas de limites. Dès que leur regard se pose sur un bien quelconque, mobilier ou ustensile, ils s'en emparent. Quand ils utilisent leur domination et leur autorité politique pour piller, il n'y a plus de gouvernement pour protéger les biens des gens, et la civilisation est détruite.

Par ailleurs, ils forcent les artisans et les ouvriers à travailler pour eux, mais leur travail leur paraît sans valeur, et ils ne lui accordent aucune rétribution. Or, comme nous le verrons plus loin, le travail est la base réelle du profit. S'il n'est pas apprécié et rétribué, l'espoir de réaliser un profit s'affaiblit et les gens ne veulent plus travailler. Les habitants se dispersent, et la civilisation se désintègre.

En outre, ils n'ont aucun souci des lois, ne se préoccupent guère de réprimer les méfaits et les agressions. Ils n'ont qu'une seule pensée : s'emparer des biens d'autrui par le pillage ou l'impôt. Une fois leur but atteint, ils ne voient pas plus loin. Ils ne pensent ni à améliorer le sort des gens, ni à s'occuper de leurs intérêts, ni à réprimer ceux qui cherchent à nuire. Souvent, ils imposent des amendes, mais c'est uniquement pour leur profit et pour augmenter les revenus fiscaux, comme de coutume. Cela n'aide en rien à combattre les méfaits et à dissuader les malfaiteurs. Au contraire, cela ne fait qu'en augmenter le nombre, car la perte représentée par une amende est peu de chose à côté de ce que l'on gagne en réalisant son but.

Sous leur gouvernement, les sujets vivent comme en état d'anarchie, sans lois. Or, l'anarchie détruit l'homme et ruine la civilisation. Comme on l'a vu, le pouvoir politique est une caractéristique naturelle de l'homme ; la seule à rendre possible son existence et la vie en société. C'est ce qu'on a déjà vu au début de cette partie.

Enfin, ils veulent tous le commandement. Rarement un Arabe concédera le pouvoir à un autre, fût-il son père, son frère ou l'aîné de sa famille. Quand cela se produit, c'est par exception et parce que la décence l'exige. Aussi trouve-t-on chez eux une multitude de gouverneurs et d'émirs. Leurs sujets doivent obéir à des autorités multiples, qu'il s'agisse des impôts ou des lois. Ainsi la civilisation se désintègre et disparaît.

'Abd al-Malik interrogea un Arabe venu le voir au sujet d'Al-Hajjâj. L'homme, voulant faire devant le calife l'éloge de ce dernier pour son bon gouvernement et son œuvre de civilisation, dit : « Quand je l'ai quitté, il était seul à pratiquer l'injustice. »

Voyez ce que sont devenus les pays sur lesquels les Arabes

ont régné et qu'ils ont soumis depuis le début de la Création : leur civilisation s'est effondrée, ils se sont vidés de leur population, et même la terre n'y est plus ce qu'elle était. Le Yémen, lieu de leur séjour fixe, n'est plus que ruines, à l'exception de quelques cités. De même, la civilisation persane de l'Irak arabe est complètement détruite. C'est le cas encore de la Syrie d'aujourd'hui. Et c'est pareil pour l'Ifrîqiya et le Maghreb : quand les Banû Hilâl et les Banû Sulaym y vinrent au Ve [XIIe] siècle et qu'ils s'y furent battus durant trois cent cinquante ans, ces pays connurent le même sort que les trois premiers : leurs plaines furent complètement ruinées. Autrefois, toute la région s'étendant entre le Soudan et la mer Byzantine était urbanisée, comme en témoignent encore les vestiges de la civilisation : monuments, sculptures, ruines de villages et de bourgades.

Dieu est l'héritier de la terre et de ceux qui y vivent. Il est le meilleur des héritiers[1].

XXVI. Les Arabes n'obtiennent le pouvoir
qu'en s'appuyant sur un mouvement religieux
— prophétie ou sainteté —, ou à la faveur
d'un grand événement religieux en général

En voici la raison. À cause de leur caractère farouche, les Arabes sont, moins qu'aucune autre nation, disposés à accepter la soumission : ils sont rudes, orgueilleux, ambitieux, et veulent tous commander. Il est rare que leurs désirs se rejoignent. Mais la religion — grâce à un prophète ou à un saint — leur permet de se modérer eux-mêmes et de perdre leur orgueil et leur esprit de rivalité. Il leur devient alors plus aisé de se soumettre et de s'unir, du fait que leur religion commune efface la rudesse et l'orgueil et refrène la jalousie et l'esprit de compétition. Quand un prophète ou un saint apparaît parmi eux et les appelle à observer les commandements divins,

1. *Cf.* Coran, XXI, 89.

les débarrasse de leurs défauts et leur inculque les vertus —
leur permettant ainsi de rassembler toutes leurs forces pour
le triomphe de la vérité —, ils deviennent unis et obtiennent
la domination et le pouvoir. D'ailleurs, les Arabes sont les
hommes les plus prompts à accepter la vérité et la bonne voie,
parce que leurs caractères ne sont pas déformés par les mauvaises habitudes ni contaminés par les mœurs dépravées. Leur
caractère farouche peut être facilement corrigé. Il est disposé
au bien, puisqu'il garde encore sa nature originelle, et est éloigné des mauvaises habitudes et des vices qui s'impriment dans
l'âme. Comme le dit la tradition prophétique déjà citée : « Tout
enfant naît dans l'état originel... »

XXVII. Les Arabes sont les moins aptes à gouverner

En voici la raison. Plus que toute autre nation, les Arabes
sont des gens du désert. Ils s'y enfoncent le plus loin, et ils sont
les moins dépendants des produits et des céréales des collines.
Ils sont habitués à la pauvreté et à la rudesse, et peuvent se
passer des autres. À cause de la vie qu'ils mènent et de leur
caractère farouche, ils se soumettent difficilement les uns aux
autres. Chez eux, le chef a généralement besoin des autres
membres de la tribu, parce que l'esprit de corps est nécessaire
à la défense du groupe. Il est donc forcé de les traiter avec
douceur et d'éviter de les heurter pour ne pas risquer de com-
promettre l'esprit de corps — ce qui causerait sa perte et la
leur. Or, le gouvernement et le pouvoir exigent que le souverain
exerce une autorité de contrainte. Sinon, sa politique échoue.

D'autre part, il est de la nature des Arabes, comme on l'a
vu, de s'emparer des biens d'autrui. C'est ce qui les intéresse
en premier lieu. Ils ne se préoccupent ni de faire respecter les
lois ni de protéger les gens. Quand ils règnent sur une nation,
ils n'ont d'autre but que de profiter de leur position pour s'emparer des biens de leurs sujets, sans autrement se soucier de
leur rôle de gouvernant. Souvent, ils instituent des amendes

pour punir les méfaits afin d'accroître les revenus fiscaux et d'augmenter les profits. Ce n'est pas là un moyen de dissuasion, mais bien plutôt un encouragement, si l'on considère les objectifs des malfaiteurs et l'insignifiance de ce qu'ils sont obligés de donner en comparaison de la réalisation de leurs objectifs. Cela ne fait qu'accroître les méfaits, et la civilisation est détruite. Une nation ainsi gouvernée est dans un état de quasi-anarchie, où chacun veut prendre ce qui appartient à l'autre. La civilisation ne peut s'y maintenir et ne tarde pas à tomber en ruine, comme dans tout état d'anarchie, comme on l'a vu.

Pour toutes ces raisons, la nature des Arabes les éloigne de l'art de gouverner. Ils n'y deviennent aptes que lorsque leur nature est transformée par la religion, qui les débarrasse de leurs anciens comportements, les pousse à se modérer eux-mêmes et à protéger leurs sujets les uns contre les autres, comme on l'a déjà dit.

C'est ce qui s'est produit avec la dynastie qu'ils ont fondée à l'époque musulmane. La religion leur permit de fonder leur gouvernement sur la Loi religieuse et ses prescriptions, lesquelles, de façon explicite ou implicite, tiennent compte de l'intérêt de la civilisation. Les califes se succédèrent. Ainsi, les Arabes eurent un empire étendu et un pouvoir fort. Quand Rustum vit les musulmans réunis pour la prière, il s'écria : « 'Umar me mange le foie. Il apprend aux chiens les bonnes manières. »

Plus tard, de nombreuses tribus tournèrent le dos à la dynastie et négligèrent la religion. Elles oublièrent la politique et retournèrent dans le désert. Elles en vinrent à ignorer leurs liens de solidarité tribale avec la dynastie, parce qu'elles n'étaient plus disposées à obéir ni à se plier à la justice. Elles reprirent leur vie à l'écart comme autrefois. Elles n'eurent plus rien à voir avec le pouvoir, si ce n'est le fait que celui-ci appartenait aux califes — qui étaient des Arabes. Et quand le califat disparut et qu'il n'en resta nulle trace, les Arabes n'eurent plus aucune part au pouvoir, qui leur fut enlevé par les non-Arabes. Ils retrouvèrent leur vie de nomades dans le désert, ignorant tout du pouvoir et du gouvernement. La plupart ne savent même plus qu'ils ont eu, autrefois, un pouvoir. Or, aucune nation au monde n'eut un pouvoir aussi étendu que celui des différentes générations des Arabes. En témoignent les dynasties des 'Ad, des Thamûd, des Amalécites, des Himyar, des Tubba', puis celles des Mudar, à l'époque de l'islam, avec les Omeyyades et les 'Abbâssides. Mais, ayant oublié leur religion, les Arabes perdirent de vue leur expérience du gouvernement et retournèrent à leur civilisation nomade originelle. Si, quelquefois, ils parviennent encore à imposer leur domination à des dynasties affaiblies, comme dans le Maghreb actuel, ils ne font que ruiner la civilisation des régions soumises à leur autorité, comme on l'a vu précédemment.

Dieu est le meilleur héritier[1].

Ce passage de la *Muqaddima*, traduit par Abdesselam Cheddadi, est extrait du volume I du *Livre des Exemples* d'Ibn Khaldoun, paru dans la collection « La Pléiade », © Gallimard, 2002.

1. *Cf.* Coran, XXI, 89.

Composition Ütibi.
Achevé d'imprimer
par l'Imprimerie Floch
à Mayenne, le 23 septembre 2013.
Dépôt légal : septembre 2013.
Numéro d'imprimeur : 85580.

ISBN 978-2-07-014289-7 / Imprimé en France.

256041